OHSAMA BUNKO

誰が聞いても
わかりやすい話し方

西任暁子

三笠書房

はじめに――伝わらないモヤモヤがすっきり消える本

あなたが伝えたいことは、相手に届いていますか？

言いたいことがスムーズに伝わると、人と話すことが楽しくなります。誰とでも意思の疎通《そつう》がはかれるので、人間関係は円滑《えんかつ》になるでしょう。

日常生活のストレスもありません。お店で、役所で、学校や病院で、「そうじゃなくて……」と言いたくなる理解のズレがなくなるからです。

仕事においても、必要な情報をしっかり共有できるので、トラブルが少なくなります。「言った」「聞いてない」などのすれ違いが減って、チームの生産性も高まるでしょう。

相手に伝わるように話すには、結論から伝える、ポイントを絞《しぼ》るといった、取り入れたいテクニックがたくさんあります。

でも、その前に知っておきたい大原則があるのです。

わかりやすく話すために知っておきたい大原則。

それは、**「人は『文字』ではなく『音《おと》』で話を聞いている」**ということです。

たとえば、「交渉が必要ですね」とあなたが言ったとします。

その時、相手の耳に届いているのは、「こうしょうがひつようですね」という「音」です。

あなたが「交渉」という文字を思い浮かべながら話していても、相手に聞こえているのは「こ」「う」「し」「ょ」「う」という音。だから、「こうしょう」が「交渉」なのか「考証」なのか、一瞬、相手にわからないという認識のずれが起こります。さらに、「こうしょう」には、公証、口承などたくさんの同音異義語《どうおんいぎご》があり、聞く側が慣れ親しんでいる言葉はそれぞれ違います。話し手の口から出てくる音だけではどれを指《さ》すのかわかりません。

もちろん、わからなければ聞き返せばいいのですが、会話の途中ではなかなかそうもいきません。最後まで話を聞けば、「『交渉』のこと」とわかったりするのですが、それまでの間、わからないところが気になって話に集中できないことも多いでしょう。

「人は『音』で話を聞いている」

実は、多くの人がこのことに気づかないまま、わかりにくい話し方になっています。

私は、十五年間、ラジオＤＪとして「音だけ」でわかる話し方を心がけてきました。

ラジオには映像がないので、耳で聞いただけで理解できる話し方が欠かせません。しかも、聞いている人は老若男女、外国人とさまざま。誰が聞いてもわかりやすく話すことが求められました。

この本では、そんな「誰が聞いてもわかりやすい話し方」について、言葉の選び方、間《ま》の取り方、声の表現法という三つの角度から、今すぐできる方法をご紹介していきます。

具体的な内容は本文に譲《ゆず》りますが、誰とどんな話をする時でも大切なのは、**自分の話が「相手にどう聞こえているか」を考えること。「音」で聞いている相手の頭の中がどういう状態なのか、想像することです。**

私は現在、コミュニケーションスクールで多くの人に「わかりやすい話し方」をお伝えしています。「人は『音』で話を聞いている」という大原則を知り、相手の頭の中を想像して話すようになると、誰が聞いてもわかりやすい話し方が身につきます。すると、どんな人ともラクな気持ちで話せるので、初対面の会話でも不安がありません。積極的に人と関わるようになれば、恋も仕事もご縁《えん》が広がって、人生がさらに楽しいものになるでしょう。

「どうして私の話はわかってもらえないんだろう」
「どうして思っていることの半分も伝えられないんだろう」
もしこれまで、そう感じたことがあったら、今すぐにできることがたくさんあります。

人とのつながりを楽しく、人生を豊かにしてくれるわかりやすい話し方。その最初の一歩を、これから一緒に踏み出しませんか？

西任暁子

もくじ

1章 言葉にしても伝わらない……はどうして起こる？

2章

「わかりやすい言い方」ほど相手に届く、話がはずむ

3章

もしかして、言いたいことを一気に話していませんか？

4章

メリハリのある話し方で印象はガラリと変わります

5章

よりわかり合える人間関係を築く5つのポイント

本文イラストレーション――内田コーイチロウ

1章

言葉にしても伝わらない……はどうして起こる？

まずは、自分の話し方を「意識」してみる

「何を言っているのかわからないと言われた」
「悪気はないのに、相手を傷つけてしまった」
「話し合いが進まず、わかり合えなかった」

誰にでもきっと、こういった経験があるでしょう。
しかし、なぜそうなってしまったのか？　理由がはっきりしないのではないでしょうか。

それは、「話し方」がいつの間にか身についたものだからです。人間は、いつの間にかできるようになったことを、あまり深く考えません。考えなくてもできるからです。

たとえば歩くことは、気がついた時にはもうできるようになっていました。そのため、どうやって歩けばいいのか、考えなくても歩くことができます。

話すことも同じです。気がついた時にはもう話せるようになっていたので、考えなくても言葉を交《か》わし、会話をすることができるでしょう。

しかし、考えずにやっているということは無意識ですから、もしやらないほうがいいことをしていたとしても、気がつけないということになります。すると、どこをどう変えればいいのか、原因も改善のための方法も見えてきません。

私たちが変えられるのは、気がついていることだけ。意識レベルに上がっていないことは、変えるのが難しいのです。だからまずは、自分がどのような話し方をしているのかに、意識を向けることから始めていきませんか。

自分の話し方のクセがわかると、どこに取り組めばいいのかが見えてきます。**話し方を改善するには、自分の現在地を知ることが出発点です。**

◆最初はうまく話せなくて当たり前

まわりから話し上手だと思われている人でも、最初からうまく話せたわけではありません。

たとえば、コンピューターのＭａｃやスマートフォンのｉＰｈｏｎｅを生み出したアップルの創始者、スティーブ・ジョブズ氏はスピーチの名手といわれました。88ページでも紹介していますが、誰にでもわかりやすく、心を引きつけ、記憶に残る彼のプレゼンテーションをインターネットなどで見たことがある人も多いでしょう。

そんな彼も、最初から人前で話すのに長《た》けていたわけではありません。ＹｏｕＴｕｂｅには、初めてのテレビ出演を前に緊張する、若き日の映像が公開されています。

長髪の彼が着ているのは、トレードマークの黒いタートルネック……ではなく、茶色いジャケットにネクタイ。画面のモニターを見ながら、

「わお。見て！　俺がテレビに映ってるよ！　これ、まだ本番じゃないよね？　ちゃんと合図してくれるんだよね？　なんか吐《は》きそうなんだけど、トイレの場所教えといてくれる？　いや、真面目《まじめ》な話さ」

と、なんとも慣れない様子です。

きっと彼は、この放送をあとから見て、自分がどのような話し方をしているのかを目《ま》の当たりにしたでしょう。それは、意識的に話すようになる始まりだったろうと思います。

「上手に話そうとする努力」が空回りしがちなワケ

意識的であることの重要性は、いろいろな方が伝えてくれています。

たとえば、野球に千本ノックという練習法があります。打たれたボールをキャッチして投げる動きを繰り返す厳しい練習ですが、精神を鍛《きた》えるのに効果的だと考えられてきました。

しかし、元プロ野球選手の桑田《くわた》真澄《ますみ》さんはこう言います。

「せんぼん（千本）ノックではなく、てんぼん（十本）ノックで十分だ」

量を求める千本ノックに意味がないのは、むしろ、やっているうちに意欲が下がったり、体の故障を招いたりして、多くの弊害《へいがい》をもたらすからだそうです。

合気道の創始者、植芝盛平《うえしばもりへい》氏の門下生の中でも随一の実力者と言われた藤平光一《とうへいこういち》さんは、

「世の中には、ただ一生懸命やみくもに稽古《けいこ》し努力すればいいと思っている人もいるようですが、間違った稽古をすれば、間違ったクセがつくだけなんです」

と仰《おつしや》っています。

また、「ヴァイオリニストの王」と呼ばれたロシア出身のハイフェッツは、

「過剰な練習は、練習が足りないのと同じくらい悪いこと」

と言いました。

もちろん練習しなくていいというわけではありません。広く知られている「一万時間の法則」は、どんな分野の能力でも、達人レベルまで高めるためには、十年もしくは一万時間の計画的訓練が必要といいます。この説を唱えた心理学者の

エリクソン博士が「計画的訓練（計画的に、自身の動作を確認しながら行なう訓練）」という言葉を使っていることに注目してください。これは、単なる繰り返し練習とは区別して考える必要があるでしょう。

話し方に「訓練」はいらない

スポーツであれ、楽器であれ、話し方であれ、上達するために大切なのは、意識的な訓練を行なうことです。間違ったやり方を繰り返せば元に戻すのに長い時間がかかり、かえってマイナスになってしまいます。

意識的な訓練を行なうためには、楽器でも、語学でも、スポーツでも、そのための時間を特別につくり出す必要があるでしょう。でも、「話し方」は違います。日常で話す時に、今までとは違う意識を向ければいいのです。だから、学校や仕事、家事でどんなに忙しい毎日を送っている方も大丈夫です。**意識が変われば、必ず話し方は上手になります。**

そう申し上げられるのは、私自身、特別な練習をしたわけではないからです。ラジオＤＪになった頃は、まったくの素人《しろうと》でした。流暢《りゅうちょう》に話すことなんてできません。原稿は一言一句もらさず書いたものを用意して、話すというよりは「読んでいる」状態です。あまりに緊張していたので番組が終わったことに気づかず、ＣＭが流れているのに原稿を読み続けてしまったこともありました。

その後も、ラジオＤＪのための特別なレッスンを受けたわけではありません。ラジオ番組でも日常会話でも、「意識的に話す」ようになっただけです。

これから、日常の中で意識できる話し方のポイントをお伝えしていきます。その中からやってみたいと思うことを一つか二つで構いませんから、試してみてください。人間が同時に意識できることは、多くても三つだと言われていますから、一度にやろうとしなくて大丈夫、一つか二つで十分です。

何を言いたいのか「わかる」から話はかみ合う

アメリカのラスベガスで、ベット・ミドラーという歌手のコンサートを見た時のことです。まわりの人たちは曲と曲のあいだのトークに大笑いしているのに、私はほとんど笑えませんでした。英語がわからなかったからです。

「わかる」ことは、笑いが起こるための第一条件です。何を言っているのかがわからなければ、どんなにおもしろい話をしても笑ってもらうことはできません。当たり前のことを言うようですが、話の内容が「わかる」からこそ笑えるのです。

それは、日本語での会話においても同じです。

「おもしろい話をしているんだろうな」ということは伝わっても、よく聞こえなかったり、意味がわからなかったりすれば、笑うことはできないでしょう。説明してようやく「なるほど、そういうことですね」と意味が伝わっても、やっぱり笑えません。

笑いだけではありません。信頼も共感も好感も、心が動く時はまず話の内容が「わかる」ことから始まります。話が「かみ合う」ことや、会話を通して人と「わかり合う」ことも、すべては何を言っているのかが「わかる」からこそ実現するのです。

◆「わかる」までには五つのステップがある

ここで、話が「わかる」とはどういうことか、見ていきましょう。話を聞いてから「わかる」までには、次の図のような五つのステップをたどっています。

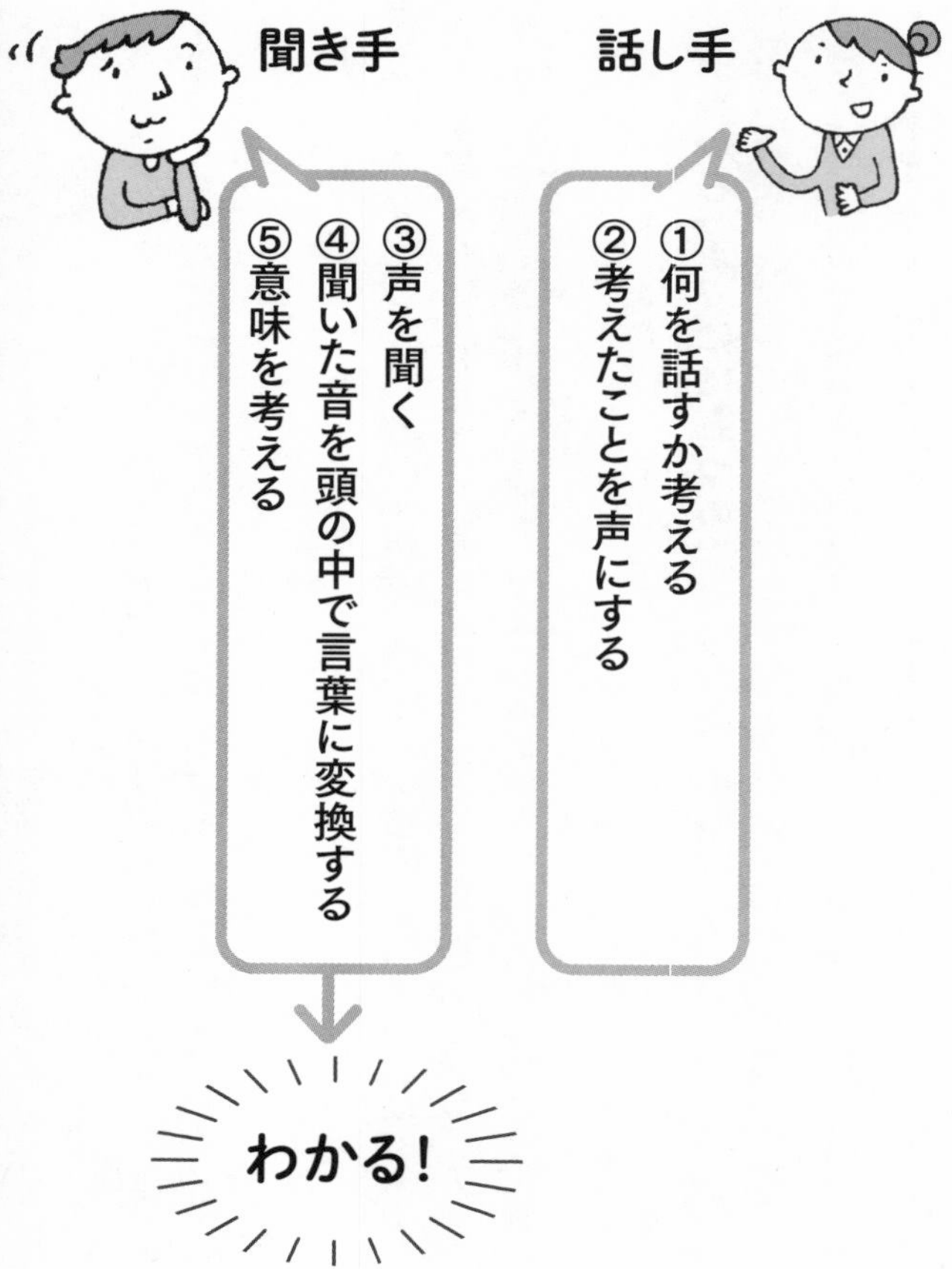
話し手
①何を話すか考える
②考えたことを声にする
聞き手
③声を聞く
④聞いた音を頭の中で言葉に変換する
⑤意味を考える
わかる!

このようなステップを経《へ》て、聞き手は「わかる」にたどりつきます。

私たちはこんなに多くのことを一瞬のうちに繰り返しながら会話しているのです。

では反対に、話が「わからない」とはどういうことかというと、「わかる」にたどりつく五つのステップのどこか途中で、止まってしまう状態です。

たとえば、話す内容がまとまらない時は①で止まってしまいます。声がこもる、聞き取りにくいといった場合は②か③で、聞き手が耳にした声を言葉に変換できなければ④、言葉が浮かんでもその意味がわからなければ⑤で止まってしまいます。

つまり「わかる」話し方とは、これら五つのステップの途中で止まってしまうことなく、最後まで流れていく話し方なのです。

どんな言葉も相手に届くのは「一音ずつ」

私たちは、声を使って話をします。もちろん、表情や身ぶり手ぶりなど、目で見ることを通して伝わる情報もありますが、相手の心を動かすのは声の力によるところが大きいと私は思っています。

二歳になるまでに高熱で視覚と聴覚の両方を失ったヘレン・ケラーは、見えないことよりも「聞こえないことのほうがより大きな不幸である」と書きました。

「なぜなら、聞こえないということはもっとも大切な刺激、すなわち言葉を伝え、思考をうながし、わたしたちの知的な人間関係を保つ声という音がなくなることを意味するからです」

(『音と聴覚』タイムライフブックス)

また、解剖《かいぼう》学者の養老孟司《ようろうたけし》さんによれば、脳のつくりから考えても、喜怒哀楽《きどあいらく》を司《つかさど》る部分と聴覚を司る部分がとても近くにあるため、人は目よりも耳で感動することのほうが多いそうです。

◆今、言ったことは相手にどう聞こえている?

では、そうした「声」で伝わる話が相手にどう聞こえているのかというと、一音ずつです。

ふだんの会話で言葉の「一音」を意識することはあまりないので、イメージしづらいかもしれません。

そこで、実際に話している状況を想像してみましょう。

あなたが話している途中で、「効果」という言葉を使ったとします。

この時、あなたが声にしているのは「こ」「う」「か」という三つの音です。頭の中で「効果」という漢字や「ききめ」という意味を思い浮かべていても、それを相手に映像で見せたりテレパシーで伝えたりすることはできません。「こ」「う」「か」と三つの音だけで伝えているのです。


では今度は、聞く立場になって考えてみましょう。

「こ」「う」「か」と聞いているあなたは「どこで終わるのかな?」と、言葉の終わりを探し始めます。

「こ」「う」「か」ときて「~てき」と続けば「効果的」ですし、「~んする」で終われば「交換する」かもしれません。

「こ」「う」「か」と、それに続くすべての音を聞き終えて初めて、それがどうい

相手の耳に届くのは「音」としての言葉

う単語なのかがわかります。

さらに、三つの音だけでも「効果」なのか「高価」なのか、はたまた「降下」なのか「校歌」なのか。

その意味は話の流れから判断することになるでしょう。

どんな言葉も相手の耳に届くのは一音ずつ。

聞こえてきた音を言葉に変換し、意味を理解するのは一秒にも満たないほんの一瞬です。その「わかる」までの一瞬に、わかりやすく話すための大切なポイントがあります。

話がもっとわかりやすくなる三つのポイント

話を「音」で聞いている相手に、一瞬でわかってもらうためにどう話すか。意識したいポイントは次の三つです。

①聞いてすぐに意味がわかる言葉を使う
②言葉の区切りに「間《ま》」を入れる
③声の「大きさ」「明るさ」「スピード」を変える

これがわかりやすく話すために欠かせない三大要素といえます。
それぞれのポイントを、順にくわしくご説明しましょう。

①聞いてすぐに意味がわかる言葉を使う

次に挙《あ》げるAとBの言葉をそれぞれ比べてみてください。
音として聞いた時に、わかりやすいのは、どちらだと思いますか？

A：視覚、悲報、分解
B：目で見る、悲しい知らせ、分ける

続けて、もう一つ質問があります。
文字としてAとBを見た時に、すぐに意味がわかるのはどちらですか？

最初の答えに迷った人も、目で見てすぐにわかるのは「A」だと答えた人が多いのではないでしょうか。

漢字は表意文字。表音文字のひらがなやアルファベットなどとは違って、文字自体が意味を表わすので、Aのほうが目で見てすばやく意味を把握《はあく》できます。もちろんBもすぐにわかりますが、文字数が多くなるぶん、仮に〇・一秒としても読むのにより長い時間がかかるでしょう。

一方、耳で聞いた時にわかりやすいのはBです。Bのほうが、音から意味を理解しやすいからです。

目で見てわかりやすい言葉と耳で聞いてわかりやすい言葉は、異なります。

試しにそれぞれひらがなにしてみましょう。

A：しかく、ひほう、ぶんかい

B：めでみる、かなしいしらせ、わける

Bは漢字に変換しなくても意味がわかるので、幼い子どもに話しても通じるでしょう。一方、Aは漢字を知らない子どもには通じません。

「なんだ、要するに子どもでもわかるように話せってことね」

はい、まさしくその通りです。

子どもにもわかるBのような言葉で話せば、誰が聞いてもわかります。だから、漢字にしなくてもわかる「丸い言葉」で話したいのです。丸い言葉とは、画数が多くて角ばった漢字よりもひらがなが多くて、丸く見える言葉のことです(70ページ参照)。

丸い言葉は、耳で聞いた時にすぐわかります。どんなに難しいニュースもわかりやすく解説してくれる、ジャーナリスト・池上彰《いけがみあきら》さんの話にも丸い言葉がいっぱいです。

以前、テレビでギリシャの通貨危機について説明されていた時の言葉を見てみましょう。

「助けましょう、と助けの手が入った」
「国が、借金をいっぱいして、とても返せないような状態」
「さらに調べ直した」
「金利が、ひゃーっと下がって」

いかがでしょう。ひらがなが多く使われていて丸い印象ですね。
この丸い言葉を、漢字を多用した四角い言葉で言い換えると、次のようになります。

「救済措置が取られた」
「財政危機」
「再調査を実施した」
「金利が急激に下降して」

さて、耳から聞こえてくるのは一音ずつでしたね。では、それぞれ耳で聞く時のように、一音ずつ文字にしてみるとどうでしょう。

〈丸い言葉〉

たすけましょう、とたすけのてがはいった
くにが、しゃっきんをいっぱいして、とてもかえせないようなじょうたい
さらにしらべなおした
きんりが、ひゃーっとさがって

〈四角い言葉〉

きゅうさいそちがとられた
ざいせいきき
さいちょうさをじっしした
きんりがきゅうげきにかこうして

これを耳で聞いていると想像してみてください。

丸い言葉のほうが、「より早くわかる」感じがしませんか？

言葉が短いのは四角いほうですが、早くわかるのは丸いほうです。

四角い言葉は意味がぎゅっと詰まっているので、それを「ひらく」のに時間がかかります。一方、丸い言葉は意味が「ひらかれ」ているので、聞いてすぐにわかるのです。

「わかりやすい！」と感じる話には、丸い言葉が多く使われていることをイメージしていただけたでしょうか。

②言葉の区切りに「間」を入れる

次の文章を読んでみてください。

これまで話し方を習ったことはないので今はできなくても当たり前ですがんばって時間をつくって練習をしなくても日常会話ですこし見方を変えればいいのです話は音として一音ずつ聞こえていますだから聞いてすぐにわかる言葉で話せばいいのです

読みづらいですね。ご覧の通り、句読点《くとう》（「。」や「、」）がないからです。ふだん文章を書く時、感覚的に打っている句読点ですが、句読点のない文章はこんなにも読みづらくなります。

では、これを話す時に聞こえてくる、一音ずつの文字にしてみましょう。

これまではなしかたをならったことはないのでいまはできなくてもあたりまえですがんばってじかんをつくってれんしゅうをしなくてもにちじょうかいわですこしみかたをかえればいいのですはなしはおととしていちおんずつきこえていますだからきいてすぐにわかることばではなせばいいのです

さらに読みづらくなりました。どこからどこまでが一つの単語なのか、文章がどこで切れるのか、パッと見ただけではわかりません。

これが英語であれば、単語と単語のあいだにスペースがありますが、日本語にはスペースがないので、すべてがつながってまるで暗号のようにも見えます。

余談ですが、外国の人が日本語を見ると、単語の区切りがわからないため、「いったいどうやって辞書をひくのだろう」と不思議に思うそうです。

さて、あなたの話がもし、この句読点のないひらがなだけの文章のように聞こえているとしたらどうでしょう。「どこで切れるのか教えて!」と言いたくなりませんか?

では、実際に句読点を打ってみましょう。

これまで、はなしかたをならったことはないので、いまはできなくてもあたりまえです。がんばってじかんをつくってれんしゅうをしなくても、にちじょうかいわで、すこしみかたをかえればいいのです。はなしは、おととしていちおんずつきこえています。だから、きいてすぐにわかることばではなせばいいのです。

いかがでしょうか。たとえひらがなだけの文章でも、句読点を打つとずっとわかりやすくなります。句読点があることで切れ目がわかり、そこに「間」ができるからです。

このように、**一音ずつの音で聞こえてくる話には、「間」がとても大切です。だから、話す時にも句読点を意識して話してみてください。**

とはいっても、文章を読むのと違って話の句読点は目に見えないので、最初は感覚をつかみづらいかもしれません。そこで初めのうちは「、」を打つ場所は「てん」、「。」が入る場所は「まる」と心の中で言ってみてください。

先ほどの文章の場合は、こんなふうになります。

これまで**（てん）**はなしかたをならったことはないので**（てん）**いまはできなくてもあたりまえです**（まる）**がんばってじかんをつくってれんしゅうをしなくても**（てん）**にちじょうかいわで**（てん）**すこしみかたをかえればいいのです**（まる）**はなしは**（てん）**おとしていちおんずつきこえています**（まる）**だから**（てん）**きいてすぐにわかることばではなせばいいのです**（まる）**

このように「、」や「。」を心の中で言いながら話すと、言葉の区切りがはっきりするだけでなく、単語が浮かび上がって聞こえて、話にリズムが生まれます。

この方法がやりづらい場合は、「、」や「。」のところでしっかり息を吸ってみてください。

「こんなに間が空《あ》いていていいのだろうか?」と不安になる場合は、一度録音して聞き比べてみてください。しっかり「間」をとって話すほうが、わかりやすく聞こえることに気がつくでしょう。

③声の「大きさ」「明るさ」「スピード」を変える

「話が単調だ」
「聞いていると眠くなる」
「飽《あ》きるから最後まで聞いていられない」

もし、こんなふうに言われたり、聞き手の態度からそう感じられたりしたら、**「音の粒」**で遊んでみましょう。「音の粒」とは、耳に聞こえてくる一つひとつの音をビーズのような「粒」として捉《とら》えたもの。強調したい音は声を大きくしたり、ゆっくり言ったりすると粒が「大きく」なります。

また、笑顔で言うと粒は明るい色になるでしょう。こうして音の表現を豊かにするだけで、話はぐんとわかりやすくできるのです。

ふだん特に意識していない時も、私たちはいろいろな音の粒で話しています。たとえば、大切なことを伝える時はゆっくり大きめの声で、深刻な話の時は低めの小さな声になりますね。この変化の幅が大きいほど、表現は豊かになります。

たとえば私の家にあるテレビは、一から百まで音量を調節できますが、あなたの声の音量は、何段階調節ですか？

多い人で三段階くらい、少ない人は一段階かもしれません。すごくうれしい話も、すごく悲しい話も、声が同じ大きさになってしまうのです。

これは、もともと「その大きさでしか話せない」のではなく、しばらく音量を変えていなかったために、変え方を忘れてしまっただけですから安心してください。

誰でも子どもの頃は、大きな声を出して遊んだり、ひそひそ声で内緒ばなしをしていたでしょう。

私たちの体は、生まれながらにいろいろな大きさの声を奏《かな》でることができる楽器なのです。

声は心とつながっています。心がたくさん動けば、声も自然に大きくなります。でも時々、心が動いても声は動かないようにブレーキがかかっていることがあります。

その場合は、ブレーキを外す簡単な方法を試してみてください。目の感覚を利用するのです。

次の「やま」という文字を見ながら声に出して言ってみてください。

やま

続いてこちらも声に出してみてください。

やま

――いかがですか?

自然と声が大きくなったと思います。

本のサイズの都合《つごう》上、これ以上大きくできないのが残念ですが、このように声は視覚の影響で簡単に変わるのです。

先ほど、句読点をつける話で用いた文章を使ってやってみましょう。

試しに文字の大きさを二段階に分けてみました。

相手に大きく聞こえてほしいところは大きな文字で、小さく聞こえてもいいと思うところは小さく書いています。

実際に声に出して読んでみてください。

これまで、**はなしかた**を**ならった**ことは**ない**ので、**いま**は**できな**くても**あたりまえ**です。がんばって**じかん**をつくって**れんしゅう**をしなくても、

にちじょうかいわで、**すこしみかた**をかえればいいのです。**はなし**は、**おと**として**いちおん**ずつきこえています。だから、**きいて**すぐに**わか**ることばではなせばいいのです。

いかがでしょう？

大きさや濃さの違う文字を目で見ながら声を出すと、自然と声の大きさが変わりませんか？　そして、グッとメリハリのある話し方に感じられたのではないでしょうか。

ちなみに大きさの変化のつけ方に正解はありません。どの音の粒を大きくするかは、あなた次第。同じ話でも、どの言葉を大切に伝えたいかは、人それぞれ異なるからです。

このように、いろいろな大きさの文字を見て話すと声の大きさが自然に変わり、聞いた人はどこが大切なのかが感覚的にわかります。考えなくても大切な箇所がわかるのです。

ところが、実際にはこんな話し方になることがあります。

これま**でー**、は**な**しかたをならったことはないの**でえー**、いま**はぁ**、できなくてもあたりまえです。がんばっ**て**じかんをつくっ**て**れんしゅうをしなくて**も**、にちじょうかいわですこ**しい**、みかたをかえれ**ば**いいの**で**す。はなし**はー**、おとし**てー**いちおんずつきこえてい**ま**す。**だ**か**らぁー**、きい**て**すぐにわかることば**で**はなせばいいの**で**す。

大きく聞こえる必要のない「てにをは」が強調され、長く伸びています。話している本人には、このように話している自覚はおそらくないでしょう。

でも、このように文字にすれば、相手の耳にどう聞こえているかを目で見て確認することができますね。

もちろん、実際の会話には原稿がないので、音の粒は目に見えません。そこでテレビ画面に表示されるテロップのように、**しっかり伝えたい言葉は、目の前に文字が表示されているイメージで話してみましょう。**

そうすれば、声は大きくゆっくりになります。あなたがどの部分を大切にしているのか、音の粒から気持ちが伝わって、格段《かくだん》に相手に届きやすくなるでしょう。

「いいことを言う自分」に酔っていませんか？

これまで無意識に行なってきた日常会話を意識的にしていくために、身につけたい習慣があります。自分を客観的に観察することです。

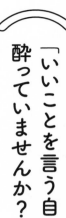

たとえば猫背の人は、自分がどんな姿勢になっているのか、観察できている時は正しい姿勢を続けられるでしょう。でも、スマートフォンを見ているうちに画面に夢中になると、姿勢のことを忘れて猫背に戻ってしまうと思います。

話し方も、何か他のことに気を取られて無意識状態になると、いつもの話し方に戻るでしょう。そこで、自分がどのような話し方をしているのか、客観的に観察することを習慣にしていきたいのです。話している自分を、もう一人の自分が見ている、そんな感覚です。

とは言え、話している時にずっと意識し続けるのは難しいので、途中で忘れてしまっても構いません。忘れていたことに気がついたら、また観察するようにしましょう。「あ、観察を忘れていた」と思い出せば、そのたびに意識的になることができます。そうして繰り返し意識するうちに、無意識で話す時間は減っていくでしょう。

無意識に話すと、自分のいろいろなクセが出るだけではなく、感情に飲み込まれやすくなります。たとえば、相手に伝えたくて話していたはずが、自分を認めてほしいという欲求に飲み込まれて、自慢話をしてしまうといった具合です。

◆誰もが話していると調子に乗ってくる

そもそも話すことは、体にも心にも気持ちのいいことです。声を出すと、いらなくなった二酸化炭素も心に溜《た》めた感情も、外に出すことができるからです。

歌手のCoccoさんがデビューしたばかりの頃、インタビューでよく「歌はうんこだ」と言われていました。インパクトのあるたとえですね。たしかに、自分の中に積もった感情を外に出すことは、排泄《はいせつ》に似た気持ちよさがあります。だからこそ、自己満足に陥《おちい》らないように自分を観察したいのです。

たとえば、誰かに説教をしていて心地よくなることはありませんか? つい話が長くなり、「自分も結構いいこと言うなあ」などと、得意な気持ちになることはないでしょうか?

悪口は言わないほうがいいと自分でもわかっているのに、つい話してしまうのも気持ちがいいからです。相手が間違っていると言えば、相対的に自分は正しいことになり、優位に立つことができます。

そのような自己満足のために話をしたい人はいないでしょう。ところが実際には、そういった会話が多く行なわれています。それは、そうしたいからではなく、自分が自己満足のために話していることに気がついていないからです。

私は、自分のラジオ番組を聞き返しながら、そのことを思い知りました。気持ちよく話しているところほど、自己満足に浸《ひた》っているのです。

「私、いいこと言ってる。こんないいことを言える私って素敵！」と明らかに自分に酔っているのですが、話している時にはまったく気づいていませんでした。こんな恥ずかしいことは、もうやめよう。そう思うのですが、なんとまたやってしまうのです。

残念ですが仕方ありません。それが自分です。ここで言う「仕方ない」は諦《あきら》めるという意味ではなく、無意識になるとそういう話し方をする自分を受け入れるという意味です。そうしてあるがままの自分を受け入れると初めて、そうならないようにしようと思えますから、これはとても前向きな「仕方ない」です。**自分が何をやっているのかに気がつけば、変われる可能性が生まれるのですから。**

たとえば、「道順の説明」はなぜ伝わらないのか

自分がどんな話し方をしているのかに気がつくには、自己観察に加えてまわりの人が伝えてくれることが参考になるでしょう。

私の話をいくつか例に挙げます。

ある人と会話をしていると「ちょ、ちょっと、怖い」と言われました。その指摘のおかげで気がついたのは、話しながら興奮してくると、声を大きくしながら相手に近づいていくクセがあるということです。しかも矢継《やつ》ぎ早《ばや》に質問するので、

圧迫感が半端ないですね。

ラジオの生放送では、リスナーの方からいただいたメッセージを読む時に「暗くなる」と先輩が指摘してくれました。これは、なんでも深刻に捉えるクセの表われです。真剣と深刻を混同していたことに気がつけました。

まわりの人は、あなたのことを客観的に見てくれています。聞かせてもらえるフィードバックは、ありがたく参考にさせてもらいましょう。

また、自分の話がどれくらい相手に伝わっているのか、遊び感覚でチェックできるおすすめの方法があります。**「地図チェック法」**です。

会社でも自宅でもかまいません。最寄り駅からの道順をいろいろな人に説明して、地図を描いてもらいます。

「こんなこと言ってないよー！」
「違うよ、ここは〇〇って言ったじゃない！」
同じ話をしても、地図は描く人によって異なるでしょう。いろいろな受け止め方があるからです。誰にどう話が伝わったのか？　地図を見れば、一目瞭然《いちもくりょうぜん》です。

たとえば、「モスクのある角《かど》を曲がります」と伝えると、地図には飲食店が描かれていました。イスラム教の礼拝堂がなぜ飲食店になったのかを尋ねてみると、「モスクって何のことだかわからなかったんですけど、音が〈モスバーガー〉に似ているし、たぶん何かを食べるお店なんだろうと思ったんです」とのことでした。

またある時には、「宮益坂《みやますざか》を上っていくと左側にお店があります」と話したはずが、描かれた地図には坂の右側にお店があります。「左と右を聞き間違えたのかな？」と思ったら、「いつも坂を上ったところを歩いて通勤しているので、宮益坂って聞いた瞬間、上からの景色が浮かんだんです」と話してくれました。

電話で道案内をした時には、相手を迷わせてしまいました。

「空を見上げると、街路樹の上に突き出たとんがり屋根が見えるので、そこを左に曲がってください」と伝えて、「我《われ》ながら絵の浮かぶようなわかりやすい伝え方ができた」と得意になっていたら大失敗。その人がやってきたのは夜だったからです。空に見えるのは月と星ばかり。相手が歩く時間帯も想像しなければいけないことを教わりました。

やっぱり自己満足で気持ちよくなると、失敗しますね。

◆同じことを話しても受け取り方は十人十色

「お客さんに説明したのに、聞いていないと言われた」
「自分は悪くないのに、上司に誤解されて叱られた」
「言わなくてもわかると思っていたのに、夫にまったく伝わっていなかった」

こういうちょっとした誤解や勘違いは、毎日のように起こります。自分ではわかりやすいように伝えたつもりが、相手は違う形で受け取っている。

そんな時はついイライラして「どうしてそんなこともわからないの?」「あいつは、まったく俺のことを理解していない」「ちょっと考えたらわかるだろう」などと言いたくなるかもしれません。

でも、ちょっと待ってください。悪いのはどちらでしょうか? わからなかった相手? それとも、言葉が足りなかった自分?

……どちらも悪くないと思います。

同じ言葉を聞いても、想像することはみんな違うからです。

「家に帰ったら、テーブルにケーキがあったのよ!」と聞いた時に思い浮かべるテーブルの形、色、ケーキの種類や数などは十人いたら十人ともバラバラでしょう。

それが個性です。それが魅力です。

私たちは、一人ひとり異なるユニークな存在なのです。

もし、全員が同じテーブルと同じケーキを想像するとしたら、かえって怖いと思いませんか？　誰に何を話しても、「うん、そうだね。わかるよ」と言われて、それ以上話は展開しない。全員が同じことを考えていたら、多くの発見や創造も生まれなくなるでしょう。


人はみんな、違っているからすばらしい！

そのことに気がつくと、意見の相違《そうい》にイラ立つことは減っていきます。むしろ自分とは異なる「ものの見方」を、もっと知りたいと興味が湧《わ》いてくるでしょう。

「どうしてわかってくれないの！」とイライラしたら、まずはその自分に気がつくこと。そしてひと呼吸です。気持ちを落ち着けて、相手の頭の中にある世界を想像してみましょう。

Column

話し方のクセを直す方法

話し方のクセは、魅力的な個性でもありますが、伝えたいことのジャマになる場合もあります。そして、自分では気づくことが難しいため、なかなか直せないのです。

そんなクセを直す第一歩は、気づくこと。よく話をする身近な人に指摘してもらう他、「文字起こし」をしてみるのもおすすめです。

自分がふだん通りに話している音声や動画を確認しながら、話しているすべての音をそのまま文字に起こします。「えっとー」「あのー」といった言葉も文字にし、間があるところには「、」を打ったり、一行空けたりしましょう。

こうして自分の話を「見える化」すると、話し方のクセを知ることができます。

文字起こしでクセを確認したら、言葉を削ったり補《おぎな》ったりして文章を整えます。「、」や「。」などの句読点の位置や数も変えて、リズムも整えましょう。

この時大切なのは、声に出しながら行なうことです。パソコンに向かって指を動かすだけでは書き言葉になりやすいのですが、話しながら整えていけば話し言葉の文章になるでしょう。

最後に、その文章を見ながら話してみてください。いつもと違う感じがすると思いますが、繰り返すうちに慣れて、クセを直すことができます。

◇話のつなぎめ、語尾に注意

続いて、よくある話し方のクセと、それを直す時のポイントをご紹介します。

もっとも多いのは「えー」「あのー」といった、間を埋める言葉を多用するクセです。このクセの直し方については、147ページをお読みください。

次に多いのは、「でー」と言って話をつなげるクセです。このクセは、**「そし**

て」「だから」など、適切な接続詞に言い換えるといいでしょう。接続詞を正しく使うようにするだけで話の流れが明確になり、わかりやすく伝えることができます。自分の頭の中も整理されるので、ぐんと話しやすくなるでしょう。

会話の「間」にあたる「、」や「。」にもクセがあります。たくさん「、」の入る話し方は、一つのフレーズが短く、子どもっぽい印象を与えます。「。」が少なければ、一文が長く、冗長《じょうちょう》な話し方になるでしょう。

句読点のクセは、呼吸と連動していることが多いので、ゆったりと呼吸してみてください。それだけで、話すリズムが変わります。

ちなみに、緊張すると呼吸が浅くなってクセが出やすくなります。そんな時もやっぱり深呼吸がおすすめです。

また、「〜ですね。」「〜みたいな。」など、語尾が毎回同じ言い方になるというクセもあります。言葉で強い印象を与えたくない時に見られるクセですが、同じ言葉が繰り返されるので語尾ばかりが目立ってしまいます。語尾だけで柔らかな印象にしようとするのではなく、話す時の「心」を柔らかくしましょう。

相手を思いやる心、受け入れる心、話を聞いてもらえる感謝の心で話せば、声や表情は自然に柔らかくなります。

話し始めの言葉も注目したいポイントです。「でも」「っていうか」といった逆説の接続詞から話し始めていませんか？

たとえば「○○っていうお店に行ったことありますか？」と尋ねられて、

「いや、でも、□□なら行ったことがありますよ」

といった具合です。この時、「行ったことはない」と心の中で言ったあとに、「いや、でも」と逆接でつないでいるのですが、心の声は自分にしか聞こえません。

相手は、自分の発言を否定で返されたようで、あまり気持ちのよい感じはしないでしょう。このクセがある人は、「知らない」「できない」など「～ない」と言ってはいけない、あるいは言いたくないと思ううちに、心の中で言うようになったのかもしれません。自分の心を見つめてみましょう。

2章

「わかりやすい言い方」ほど相手に届く、話がはずむ

聞いてすぐにわかる言い方

わかりやすい話し方には、共通点があります。

言葉の使い方です。

耳で聞いてすぐにわかる**「古い日本語」**が使われているのです。

古い日本語とは、「やまとことば」のこと。

作家の井上ひさしさんが、上智大学で行なった講義をまとめた本にそのことが書かれています。

私は芝居も書いていますが、台詞《せりふ》はやまとことばでないとだめなんです。漢語では、お客さんの理解が一瞬遅れます。演劇の場合、時間はとまることなくずーっと進行していきますから、お客さんがちょっとでも考え込むと、その考え込んだあいだだけ、続く台詞が聞こえなくなります。そうすると観客の意識に、ぶつぶつぶつぶつ穴があいてくるわけですね。それを避けるために、なるべく漢語はやまとことばに言い換えています。（中略）漢語というのは、完璧にマスターしているようでも、〇・〇一秒ぐらい、私たちの頭のなかでなにかが起きているんです。ですから、漢語が多すぎると芝居はつまらない、おもしろくないのです。外来語になるともっと顕著です。芝居の台詞は、「それ、きまりだろう、きみ」と言った方がピシャッとくる。「それはルールだよ」と言うと、観客はわかるんだけど、ウッウッと一瞬、頭の中でなにかが動くんです。細胞一個分ぐらい動くという感じですね（笑）。

（『日本語教室』新潮社）

「やまとことば」とは、日本（やまと）に大陸文化が伝わる前に、日本列島で話されていた言葉。すごく簡単に言ってしまうと、漢字を使った「漢語」やカタカナを使う「外来語」と比べて、ひらがなの多い言葉のことです。

それは37ページでもお話ししたラジオの現場で「丸い言葉」と呼ばれているものでした。**丸い言葉は、耳で聞いた時にすぐわかります。**たとえば「治す」はすぐにわかりますが、「治療する」と言われると、ほんの一瞬、理解が遅れます。

さらに難しい漢字熟語やカタカナ語は、少し時間をかけてもわからないことがあります。目で見える文章なら「どういう意味なのかなあ？」と好きなだけ時間をかけて考えたり調べたりできるのですが、耳で聞く話の場合は考えているうちに次の言葉を聞きのがしてしまい、ますますわからなくなってしまいます。

だから話し言葉には、すぐにわかる丸い言葉を使うことがとても大切なのです。

◆相手の頭の中を「?」でいっぱいにしない

次の文章を見てください。

多数のサーバーと高速のネットワークを利用して負荷分散《ふかぶんさん》やトラフィックの最適化などを施《ほどこ》す

これは、司会をつとめたイベントの台本に書かれていた文章です。漢字とカタカナが多く、丸い言葉とは対照的な「四角い」印象です。

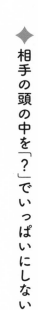

今はこれを目で読んでいますから、ゆっくり意味を考えながら、自分のペースで理解することができます。わからなければ、目を止めて考えることもできますし、インターネットや辞書で調べることもできますね。

でも、耳で聞く時はどうでしょうか。司会者がこのまま声に出して読んだら、聞いている人の頭の中はこうなってしまうでしょう。

「多数のサーバーと高速のネットワークを利用して……（聞こえない）……トラフィック……（聞こえない）……施す……（ん？　何をだっけ？）」

このまま話を続けると、聞いている人は頭に残るキーワードで自分なりに理解しようとして考えます。「えっ？　そんなこと言ってないよ」と誤解が生まれるのは、そんな時です。

話は、耳を止めて考える回数が増えるほど、穴ぼこが空いてわかりにくくなります。だから、頭の中で角がぶつかって理解に穴を開ける四角い言葉よりも、耳や頭の中をスムーズに転がり、すんなりと理解できる丸い言葉で話したいのです。

「すぐにわかる言葉」で話す①

難しい言葉は言い換える

では、どうすれば耳で聞いてすぐにわかる言葉で話せるのでしょうか？

四角い言葉は、角を取って丸くします。漢語の場合は、次のように訓読《くんよ》みにして言葉を**「分解」**するといいでしょう。

山の高低→山の高い低い

詳述《しょうじゅつ》します→くわしく述べます

粘弾性物《ねんだんせいぶつ》→粘っていて弾力のあるもの

もし、「粘弾性物」という言葉がいきなり出てきたら、頭の中に「?」マークがたくさん生まれそうですね。今は漢字を目にしているので、それが何かわからなくてもイメージは浮かぶと思いますが、「ねんだんせいぶつ」という音が聞こえてきたらいかがでしょう? 三秒間くらい頭が止まりそうです。

ちなみに粘弾性物とは、お菓子の雪見だいふくなどに入っている成分です。お餅は冷たいと硬くなりますが、アイスクリームを包んでも柔らかいのはこの粘弾性物のおかげだそうです。

この「粘弾性物」のように、各業界で使われる「専門用語」には、四角い言葉がたくさんあります。これらは他に言いようのない場合が多いので、そのまま言うしかありません。言ったあとは、すぐに分解します。「〈ねんだんせいぶつ〉それは、〈ねばっていて、だんりょく〉がある〈せいしつのもの〉」と伝えれば、漢字に変換しやすくなって、より早く理解できますね。

四角い言葉がわかりにくいのは、私たち日本人が聞こえた音を漢字に変換して理解しようとするからと私は考えています。

たとえば、私の苗字《みようじ》「西任」という字は珍しいので、「どんな字を書きますか?」と尋ねられます。「にしと」と音は聞こえていても、漢字が思い浮かばなければ「わからない」と感じるからです。一方、英語圏の人に「ニシトとはどんなスペルで書きますか?」と尋ねられたことは一度もありません。彼らは、聞こえた音のまま理解するのだろうと思います。

日本語には、ひらがな、漢字、カタカナと三種類も文字があります。でも音として聞こえてくる時にはどの文字なのかわからないので、聞き手が頭の中で変換することになります。特に漢字は音だけで聞いても同音異義語が多くてわかりにくいので、分解して話すとわかりやすいのです。

「すぐにわかる言葉」で話す②

「つまり～」で説明をプラス

漢字を訓読みに変えて分解しても、うまくいかない場合もあります。

たとえば「転居」という言葉は、分解すると「居所《いどころ》を転ずる」となりますが、これではあまりわかりやすくなったとは言えません。「引っ越す」「住まいを移す」などと言い換えたほうがよさそうです。

また、「視覚」を分解すると「みる感覚」になりますが、「みる」には「見る」「観る」「診る」「看る」といろいろな漢字があるので、「目で見ること」「目で見る感覚」など、少し言葉を足すといいでしょう。

実際にやってみましょう。

「美術史」とは、視覚、つまり目に見えることを通じて、世界を理解しようという学問です

もし、「美術史とは、しかくを通じて世界を理解しようという学問です」と言うと、一瞬「資格」や「四角」が浮かぶかもしれません。文脈を考えれば「視覚」だとわかりますが、そう考える一瞬に話が聞こえないので、わかりにくくなります。

そこで、訓読みにしてもわかりやすくならない漢語のあとには、**「つまり〜」と言って説明を加えると止まらずに聞いてもらえるでしょう。**こうした「わかる」ための小さな橋渡しがあると、聞き手は意味を考えなくていい分、感じることにエネルギーを使えます。「美術史って、なんだかおもしろそう」と興味を持つなど、「わかる」からこそ、その先にある「感じる」へ行きやすいのです。

また、こうした「意味の説明」は、先ほどの「分解」と合わせて使うこともできます。

たとえば、「しょうきぼたくちとうのとくれい」という言葉。

これは、ある税理士さんから「税の知識がない方や、高齢の方にもわかるように説明したい」と相談された時に、耳にした言葉です。知識がない私には、音を聞き取ることもできませんでした。「小規模宅地等の特例」と紙に書いてもらうとイメージは浮かびましたが、やはり意味はわかりません。

こういう時は、**「分解」→「意味の説明」**と、二段階でわかりやすくします。

まずは分解です。

小規模宅地等の特例とは、小さな規模の家のための土地などは、特別な例として扱いますよ、ということです

そのあとに、「つまり」と言ってから意味を説明します。

つまり、「小さな家の土地の相続税は、特別扱いにしますよ」という意味です

これで、ずいぶんわかりやすくなりましたね。

一般のお客さんに向けて商品やサービスを説明する時、また、違う業界の人と一緒に仕事をする時など、当たり前のように使っている専門用語は伝わらないことが多いでしょう。

そういう時に大切なのは、相手の立場に立って想像する思いやりです。相手の様子をよく見て感じていると、言葉が伝わらなかった瞬間に気づけるようになります。「これくらいわかるでしょう」という自分にとっての当たり前はちょっと横に置いて、相手の方の理解度に合わせた言葉を選べるといいですね。

「すぐにわかる言葉」で話す③

外来語は「やまとことば」に

では続いて、外来語を丸める方法です。カタカナやアルファベットで書かれた外来語は、まず**「日本語に翻訳」**するのが基本です。

・ライフコースとは、人生の道筋のことです
・カタルシスとは、精神の浄化作用のことです
・ダイバーシティとは、多様性のことです

このように日本語に訳したあとは、漢語と同じ方法で丸めていきます。

・ライフコースとは、人生の道筋、つまり「個人が生まれてから死ぬまでのあいだにたどる道のり」のことです
・カタルシスとは、精神の浄化作用、つまり「心の中に溜まっていたモヤモヤがなくなってすっきりすること」です
・ダイバーシティとは、多様性、つまり「人種や性別、宗教などいろいろな違いを受け入れていこう」という考え方です

このように、カタカナの言葉は、**「カタカナ」**→**「日本語に翻訳」**→**「分解・意味の説明」**というステップで丸めていきます。

また、SEOやTPPといったアルファベットの言葉は、省略されている部分をカタカナで説明してから丸めていきます。

・SEOとは「サーチ・エンジン・オプティマイゼーション」の略で、日本語にすると検索エンジン最適化、つまり「検索した時、最初のほうに自分のホームページが出てくるようにすること」です

・TPPとは「トランス・パシフィック・パートナーシップ」の略で、日本語にすると環太平洋連携協定、つまり「同じ太平洋を囲む国として、手を取り合って協力しようねという仲間」のことです。もっとわかりやすく言うと、「同じ太平洋を囲む仲間の国として、経済的に力を合わせようよ。具体的には、関税をなくして、もっと自由にモノやサービスが行き来できるようにしよう」ということなんです

外来語をわかりやすく伝えようとすると、説明が長くなりますね。

裏を返すと、説明がない時は、聞き手が瞬時にこれだけのことを自分で考えて

「カタカナ語」は聞き取るのが大変

理解することが求められるというわけです。

外来語は、「わかる」までに時間のかかる言葉です。アルファベットをカタカナに直してから日本語に翻訳し、それから丸い言葉に置き換えて、意味を説明する。このように、「わかる」までのステップが多いのです。

それだけ外来語は、私たち日本人にとって遠い言葉だと言えるでしょう。

日本語をわかりやすい順番に並べるなら、次のようになると思います。

①やまとことば
②漢語
③外来語

これは、それぞれのもとになる言葉が日本で使われるようになった順番と同じです。今を生きる私たちは、生まれてから日本語を話せるようになってまだ数十年ですが、数百年、あるいは千年以上も前に日本人が話していた言葉を「わかりやすい」と感じるのは、なんとも不思議な感じがしますね。

長い時間をかけて変化してきた日本語が、私たちのDNAに記憶されているのかもしれません。

〝合致する〟は〝ぴったり合う〟に……「簡単な言葉」ほど聞いてもらえる

丸い言葉はひらがなが多く、子どもにでもわかるやさしい言葉です。それなら誰もが丸い言葉でわかりやすく話せそうな気がしますが、そうなっていないのはなぜでしょうか。

いちばんの理由は、自分が四角い言葉を使っていることに気がついていないからです。

あるインターネット関連会社のセキュリティ担当者に、話し方レッスンをした時のことです。講演原稿にカタカナ言葉や専門用語がたくさん出てくるので、聞き手の理解が追いつかないのではないかとお伝えしたところ、社内でみんなが使っている言葉なので気がつかなかったと言われました。

自分がふだん、どんな言葉で話しているのかを意識している人は多くありません。四角い言葉が飛び交う環境にいれば、誰でも四角い言葉で話すことが当たり前になるでしょう。

当たり前とは、気がつけないほど自分に馴染《なじ》んでいることを言いますから、自分では気づきにくいものです。また、当たり前の中にいることは心地がいいので、安住していたくなります。だからこそ、自分にとっての当たり前を疑い、枠《わく》の外に目を向けることが大切です。価値観や理解度の異なる人と話した時に「ん？」となるちょっとした理解のズレは、大きなヒントになるでしょう。

あるいはコンプレックスがジャマをして、四角い言葉を使っていることに気づけない場合もあります。丸い言葉は子どもにもわかる簡単な日本語ですから、知的な響きがありません。「頭がよさそう」「仕事ができそう」と思われたくて四角い言葉を使っているとしたら……そんな自分のコンプレックスって認めたくないものですよね。

「自分がやっていることは間違っていない」私たちの心の中では、自分を正当化しようとする心理が常に働いています。そのため、あるがままの自分に気づいて認めることは簡単ではないでしょう。だからこそ、自分が何をしているのか、自《みずか》らをよく観察して、自分が無意識のうちにやっていることに気づくことが大切なのです。

◆「誰にでもわかる＝幼稚」ではない

『悪童日記』（早川書房）という世界的なベストセラー小説があります。戦時下の混乱の中、双子の少年が困難を乗り越えて生きる姿を描いたこの本がベストセラーとなった理由の一つは、「簡単な言葉で書かれていたから」だと言われています。

作者はハンガリー出身の女性作家、アゴタ・クリストフ。彼女は、母国語ではないフランス語で書いたので、「辞書で確認しながらでなければ正しい文章は書けなかった」そうですが、だからこそ世界中に広まることになりました。

また、英語にも「丸い言葉」はあります。『スティーブ・ジョブズ驚異のプレゼン』（日経BP）によると、普通の人には理解しにくい「四音節以上の単語・難解語」が、ジョブズ氏のスピーチには少なかったそうです。ある講演で使われた難解語は、全体の二・九%。たしかに私たち日本人が聞いていても、難しい言葉はあまり出てきません。日本の中学校や高校で習うレベルの単語が多く使われています。

「丸い言葉」を使うからといって幼稚なことしか言えないわけでもなく、表現が浅くなるわけでもありません。むしろ「丸い言葉」で話そうとするほど深く内容を理解し、伝える工夫が必要だと言えるのではないでしょうか。

四角い言葉の例

①難解　②面会　③失念
④配慮　⑤早急　⑥所有
⑦如実　⑧既出
⑨タスク　⑩サマリー

↓

丸い言葉にすると…

①むずかしい　②会う
③忘れる　④気をくばる
⑤すみやかに　⑥持っている
⑦はっきりと　⑧すでに出ている
⑨やるべきこと　⑩まとめ

話し手の頭の中は見えないから

「僕、学生の頃あまり勉強できなかったんです」

もしあなたがこう言われたら、どんな意味に受け取りますか？　成績が悪かった？　それとも、時間がなくて勉強ができなかった？　この言い方からは、どちらの意味にも受けとれます。

ちなみに、こう言った知人が伝えたかったのは後者、「アルバイトがおもしろすぎて、勉強をする時間がなかった」という意味でした。

彼の頭には、いろいろなイメージが浮かんでいたそうです。夏に働いた軽井沢のペンション、冬にインストラクターをしたスキーリゾート、共に働いた仲間の顔……。

でも、聞き手に届くのは言葉だけ。**話す人の頭の中に広がるイメージは見えません。**

だから話す時は、自分の中に浮かんでいることも言葉にする必要があります。

◆相手が「思い浮かべること」は何？

言葉が少ない表現は、いろいろな意味に受け取られてしまいます。たとえば、「うわ、こんな値段なんだ！」と言えば、安くて驚いているとも、高くて驚いているとも受け取られますね。

そこで意識したいのは、聞き手の頭の中に広がる真っ白なキャンバスです。**自分が話す言葉から、聞き手が頭の中の白いキャンバスにどんな絵を描いていくか**

をイメージするのです。

「ぼく、がくせいのころあまりべんきょうできなかったんです」という言葉から描かれるのは、どんな「絵」でしょうか？

おそらく授業中に寝ている姿や丸の少ない答案用紙など、「成績が悪かった」絵を描く人がほとんどでしょう。この想像が大切なのです。

自分には、アルバイトが忙しくて勉強ができなかった「絵」が浮かんでいても、相手は「ぼく、がくせいのころあまりべんきょうできなかったんです」という音から「自分とは違う絵」を浮かべるだろう、その想像が働けば言葉を補う必要があることに気がつけます。

「私が子どもの頃に人気があった、あの三人組のアイドル誰だっけ？」

誰かにこう尋ねる時、相手の頭の中のキャンバスには何が描かれるでしょうか。白いまま何も描かれないことが想像されます。「私が子どもの頃」がいつなのかわからないからです。この場合は「今から二十年くらい前」とか「一九九〇年代」など、誰が聞いてもわかる言葉にするといいでしょう。

「みなさん、『特許』って目にしたことがないと思いますが……」

講座の中でこう話し始めた生徒さんは、ふだん仕事で使っている「特許申請用紙」を頭に思い浮かべていました。でも、他の人の耳に届いたのは「とっきょ」という音です。

「特許、見たことあるよ。サランラップも確か特許だったよね……」

なかには、「とっきょ」からサランラップを思い浮かべた人もいたようです。言葉が少ない場合は、こうして聞き手の想像が広がります。この場合は「特許を申請する紙」と言えば誤解が生じませんね。

覚えておいてください。聞き手の頭の中は、いつだって真っ白なキャンバスです。あなたが自分の頭に思い浮かべていることを、相手もイメージしてくれるわけではありません。キャンバスに描かれる絵の材料は、あくまであなたが発する言葉の音なのです。

「これ」「それ」「あれ」の使い方に注意

小学校で習った「こそあど言葉」を覚えていますか？

これ、それ、あれ、どれなどの**指示語**のことです。


「あの人、こんな時にそんなん知らんって言わはんねん」

私の母の話はいつも指示語が多くて、なぞなぞのようです。

「あの人って誰？」「こんな時っていつ？」「そんなんって、何のこと？」と一つひとつ答え合わせをするように、会話を進めることになります。

ところが、「へー、そら大変やったなあ」と応《こた》える父には話が通じているようです。さすがは長年連れ添った夫婦、共有する事実が多い関係なら、指示語トークでも会話が成り立ちますね。

そういう関係を築けるのは、とても素敵なことだと思いますが、**あまり頻繁《ひんぱん》に指示語に頼っていると、言葉がどんどん出てこなくなります。**

そこで、つい指示語に頼りたくなる三つのパターンをご紹介しましょう。

①言葉が足りていないのをごまかす「サボり指示語」

言葉が足りないことはわかっていながら、何と言えばいいのか思いつかなくて指示語を使うことはありませんか。

「徹夜の連続とか、そういうことにも耐えてきました」

ブラック企業で働いていたという男性は、「徹夜の連続だけじゃなくて、もっと大変なことがいっぱいあったんだ」と伝えようとしていました。

「〈徹夜の連続〉だけでは言葉が足りない！　でも、他にパッと言葉が浮かばない！」と思って出てきたのが「そういうこと」という指示語です。

その後ゆっくり時間をかけて考えてもらうと、具体的な言葉がたくさん出てきました。「上司からの理不尽《りふじん》な小言」「どんなに働いても出ない残業代」「食事もまともに取れない忙しさ」……。ただ、話している時には思い浮かばなかったというわけです。

これが書くことと話すことの大きな違いです。書く時はゆっくり言葉を探せますが、話す時はスピードが求められます。そのため、言葉が浮かばなければ指示語に頼ってしまうでしょう。

この時、当の本人には、つらかった当時の絵が浮かんでいるため、聞いている人にも伝わったような感覚になるのですが、「そういうこと」という六つの音から何を想像するかは、聞き手に委《ゆだ》ねられます。

国語のテストで文章中の「そういうこと」に線が引かれ、「そういうこととは、何を指し示すのか答えなさい」という問題がよくありますが、指示語の多い話はこうした国語のテストのようです。聞き手にも似た体験があれば想像は膨《ふく》らみますが、なければ多くは浮かばないでしょう。相手に自由な発想で想像を広げてほしい場合には、あえて言葉を少なく話すという方法もありますが、明確に伝えたい時は具体的に言葉にできるといいですね。

「なんて言えばいいんだろう……」と咄嗟《とっさ》に言葉が出てこない時も、言葉を探そうとしてみてください。

「徹夜の連続とか、そういうことにも耐えてきた」と言う代わりに、「徹夜の連続など、体がつらくても耐えてきた」など、言いたいことを表わす言葉を日常会話においても探すようにするのです。

すぐに思い浮かばなくて間ができてしまうのが不安かもしれませんが、大丈夫。そんな時は、「なんて言えばいいんだろう……」「他に何があったかなぁ……」と、疑問をそのまま口に出してしまいましょう。きっと聞いている人が助けてくれます。そうやって一緒に言葉を探していくのもまた、コミュニケーションの楽しみの一つです。

心にぴったり当てはまる言葉を探しながら話すうちに、少しずつボキャブラリーが増えていきます。

「そう！　それそれ！」という表現を、楽しみながら探してみましょう。パズルのピースのようにぴったりの言葉が見つかった時は、なんとも気持ちのいいものです。

②なんとなく言ってしまう「まとめ指示語」

二つめは、話をまとめたり、次につなげたい時に使われる「まとめ指示語」です。

話したいことを言い終えて、ふと間ができる。そんな時、それまでの話を総括《そうかつ》したくて、こんなふうに指示語を使うことはありませんか。

「……、そんな感じでした」

「まあ、そういうわけで、……」

それまでの話全体を指して使われる「まとめ指示語」は、指し示す範囲がとても広いので、漠然《ばくぜん》とした印象を与えます。わかりやすく話すためには、それまでの話で何を伝えようとしていたのか、要約して言葉にするといいでしょう。

「……、という奇妙な感じでした」

「そういった失敗を経験したので、……」

このような指示語は、話の流れをスムーズにしたい時に出てくることが多いでしょう。クセを直す道のりは気づくことから。たとえば、あなたがふだんの会話で指示語を言ったら、指摘してもらうようにするなど、身近な人に協力してもらうと、言った瞬間に気づけますね。

③思い出せない「置き去り指示語」

最後は、聞き手の記憶が頼りの「置き去り指示語」です。

「そのような三つの理由から」
「そっちの要素が大切なんです」
「それがポイントだと思うんです」

これらの指示語は、どれも話し手が少し前に話した内容を指しています。話したほうとしては、今言ったばかりだから覚えていてくれるだろうと思うのですが、残念ながら、人はそこまで集中して話を聞いていません。
「あれ？　一つめの理由は何だったっけ？」

「そっちって……どっち？」
「それって……何だったかなあ？」

話の内容を細かく覚えていない相手は、聞く耳を止めて考え始めます。そこで話を続けても相手の耳には入りません。「理由は三つあります」などと言った三つめを話し終える頃には、最初の二つはもう忘れているだろうと思って話すようにしましょう。

この置き去り指示語をわかりやすくする方法は、とても簡単です。もう一度指している内容を言い直すだけです。

「そのような三つの理由、○○、○○、○○から」
「そっちの、○○の要素が大切なんです」
「それが……○○が、ポイントだと思うんです」

○○に、指示語が指している内容を入れれば、相手は国語のテストのように考えなくてもよいので、話を聞き続けることができます。

また、指示語は一度話したことを繰り返す際に使われる言葉です。繰り返すということは、重要だったり、強調したかったりするということ。それを明確な言葉で伝えると、わかりやすくなるだけでなく相手の記憶にも残りやすいでしょう。

もしこれが、国語のテストや本といった目に見える文章なら、読む人が自分で目線を戻すことができます。

でも、話は巻き戻すことができません。だからこそ、話す人が時々復習するように同じ言葉を繰り返して、わかりやすさを補えたらやさしい話し方になりますね。

「ややこしい話」をスッキリと整理して伝えるコツ

次の三つの言葉の中に一つだけ「仲間はずれ」がいます。どれでしょう？

「虫歯」
「歯周病」
「歯並び」

正解は、「歯並び」です。

理由をお伝えする前に、ある歯科医師の方による「歯の問題」についての話をお読みください（話し言葉をそのまま文字にしているため、読みづらい部分があります）。

歯で困るという状況に将来的になるだろうということは、僕たち歯医者にはわかります。歯で困るということで代表的なのは、虫歯ですね。虫歯。そして、大人になってから困るのは、歯周病という問題があります。子どもの時は虫歯。今は予防歯科というのが流行《はや》ってるんですけど……虫歯にならないようにフッ素を塗布《とふ》したり、クリーニングしたり。で、大人になってからはメンテナンスをして、えー、歯石《しせき》を取ったりということはあるんですが、実は虫歯と歯周病のあいだには、歯並びの問題、っていうものが隠されてるんです。

この話をよりわかりやすくするために、まず要点をまとめてみましょう。

「歯には、虫歯と歯周病と歯並びという、三つの問題がある」

これで、ずいぶんスッキリしました。ここからさらに、わかりやすくするために用いたいのが「仲間ことば」です。「虫歯」「歯周病」「歯並び」という三つの言葉の中で、「歯並び」だけが仲間はずれになっているからです。

仲間はずれとはどういうことでしょう？　「虫歯」と「歯周病」は症状ですが、「歯並び」だけ症状ではありません。「悪い歯並び」のように形容詞を加えることで初めて症状になる言葉です。

そこで、こんなふうに言い換えると三つとも仲間になります。

「歯の健康に必要なことは、三つ。きれいな歯、きれいな歯ぐき、きれいな歯並び」

「リズムがいい」と聞きとりやすい

また仲間ことばを使う時は、文字数の少ないほうから順に並べると、より心地よく感じられます。
たとえば次のような順に変えると、なんとなく言いにくいと感じませんか？

はならび
は
はぐき

わかりやすく伝えることに加えて、リズムのよさも大切にしたいことの一つです。聞き心地がいいと、記憶に残りやすくなるからです。

たとえば牛丼屋さんの「うまい」「やすい」「はやい」というキャッチコピーは、誰もが知っている仲間ことばの典型例といえるでしょう。

「わかりやすい」「広がりやすい」「記憶に残りやすい」と、三拍子《さんびょうし》そろった仲間ことば。（この三つも仲間ことばになっていますね！）使ってみてください。

相手がピンとこない「たとえ話」をしていませんか？

「ニシトさんって、打率より出塁率を重視するタイプだね」

ある時、友人が伝えてくれたこの言葉の意味を私は理解できませんでした。あまり野球にくわしくないからです。

たとえ話は、自分がくわしいジャンルだと思いつきやすいのですが、相手にわかりやすく話したい時は、相手がくわしいジャンルでたとえるようにトライしてみましょう。

冷戦を「鉄のカーテン」にたとえたのは、イギリスの第六十一代首相、ウィンストン・チャーチルでした。ヨーロッパ大陸の東西間に流れる緊張を「鉄」と「カーテン」という誰もが知っている言葉で表わしたのです。重く閉じられた気配を想像できる見事なたとえは、さすが演説上手のチャーチルです。

彼は、他にも〝たとえ〟による多くの名言を残しています。

・凧《たこ》が一番高く上がるのは、風に向かっている時である。
風に流されている時ではない。

・吠《ほ》えている犬にいちいち石を投げていたら、いつまでたっても旅の目的地にたどり着けない。

・人間の生き方というのは算数の計算のように必ずしも割り切れるものではない。
……期待も予測もしなかった要素があるからこそ、人生の味わいが生まれ、理屈にがんじがらめに縛《しば》られずにすんでいるのである。

爪、風、犬、旅、算数……誰もが知っている言葉ばかりです。

◆短く、シンプルに、力強い言葉に

また、チャーチル以外にも、誰もが知っていることに置き換えた多くの〝たとえ〟が、名言として長く言い伝えられています。

美しさは女性の「武器」であり、装《よそお》いは「知恵」であり、謙虚さは「エレガント」である。

――ココ・シャネル

人生はクローズアップで見れば悲劇　ロングショットで見れば喜劇

――チャールズ・チャップリン

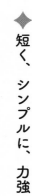

人生は一箱のマッチに似ている。
重大に扱うのは莫迦々々《ばかばか》しい。
重大に扱わなければ危険である。

――芥川龍之介

いかがでしょう。誰が聞いても意味のわかる表現であることに加えて、短くシンプルで、力強い言葉ばかりです。また、人生や美しさなど目に見えないものが、目に見えるものにたとえられることで映像が思い浮かびます。これはわかりやすさに加えて、記憶への定着も助けてくれるでしょう。

また〝たとえ〟からは、個性が伝わってきます。

「何かにたとえられないかなあ」と考えて出てくる何かは、その人が読んできた本、出会った人など、その人の人生から出てくるからです。

だからこそ、自分にとって馴染みのあることにたとえたくなるのですが、相手にわかりやすく伝えるためのたとえです。**相手が知っているものにたとえることを意識しましょう。**

その昔、日本テレビで放送していた『¥マネーの虎』という番組で審査員をつとめられた高橋がなりさんは、インタビューでこう言われました。

「僕は、よく恋愛にたとえて話をするんですよ。恋愛なら男でも女でも、何歳の人でもわかるから」

相手にわかりやすく話したいという気持ちが伝わってきますね。このように相手を思う心が起点になると、自分一人では思いつけないクリエイティブな〝たとえ〟が出てくることがあります。その時は、自分で考えたというよりも、話を聞いてくださる方に引き出してもらえたような感覚になるでしょう。ぜひ楽しみながらチャレンジしてみてください。

「いいね！」と言ってもらえる口コミ力の磨き方

自分がいいなと思ったことを話して、相手にもいいと思ってもらえたらうれしいものですね。それをシェアしてもらえたら、喜びはさらに広がります。

そんな、口コミで広がりやすい話し方について三つのポイントをご紹介します。

①口コミを生みだすのは「感動」

口コミで誰かに話したくなるのは、心が大きく揺さぶられた時です。泣けた！

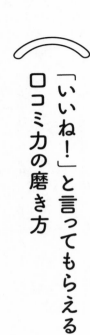

笑えた！　びっくりした！　など、感動すると、誰かとわかち合いたくなりますね。

人を感動させる話なんてできないと思われるかもしれませんが、難しく考える必要はありません。聞き手の心は、話し手の心が揺れていると、共振《きょうしん》して揺さぶられます。裏を返すと、心に揺れがない「凪《なぎ》」の状態で話しても、感動は起こりにくいでしょう。

ここで言う「感動」という言葉は、悲しみも、喜びも、恐怖も含めたさまざまな感情で心が動くという意味で使っています。

たとえば、『リング』『らせん』などのホラー小説で知られる作家の鈴木光司さんは、執筆している時に大きな恐怖を感じるそうです。怪談が大人気の稲川淳二さんも、怪談話をしていると他でもない自分が恐くて震えてしまうそうです。恐れであれ、喜びであれ、口コミはあなたの心が震える感動から始まります。

②よさが伝わる口コミは「具体的」

感動を伝える時は、何に感動したのかを具体的に語るようにしましょう。「感動した！」「すごくよかった」だけでは、相手の心は動きません。

あなたがもし、何かの商品やサービスをお客さんにすすめる立場なら、「この商品（サービス）はとにかくすばらしいのでおすすめです」と言っても、何がよいのかは伝わらないでしょう。

語りたいのはプロセスです。自分の心がどんな体験をして心が動いたのか、そのプロセスを具体的に語るから、相手にも疑似《ぎじ》体験が起こって心が動くのです。

あなたの心が動いたのは、実際に何かを体験をしたからですね。相手にはその体験がありません。ですから、体験して感じた結果だけを話しても、相手の心は動きません。それがどのような体験だったのかを具体的に語りましょう。映画や小説のように相手にも想像の体験を味わってもらうのです。すると、その疑似体験から得た感動で、誰かに言いたくなったり、自分も実際に体験したいと思ってもらえるかもしれません。

③広がりやすい口コミは「ひとくちサイズ」

最後は、話のボリュームについてです。感動したプロセスを語る時は、話が長くならないように意識しましょう。心が大きく動くとたくさん話したくなりますが、いろいろ言いすぎると逆にぼやけてしまいます。感動につながらない話は、引き算して心に留《とど》めておくことも大切です。

イメージしてほしいのは、食品売り場でいただくひとくちサイズの試食です。美味《おい》しいものを食べた感動が最大値に達するのは、ひとくち目。その後、慣れてくると感動は薄れていきます。

また、試食はひとくちだからこそ、気軽に受け取れるもの。話も感動したポイントを一つに絞ったほうが、聞きやすいでしょう。

何を話せばいいのかわからないという方は、あれもこれも話そうとして頭の中がいっぱいになっているのかもしれません。いちばん心が動いた瞬間を思い出してみましょう。一つで構いません。その時のあなたは、どんな体験をしましたか？　何かを見たり、触《さわ》ったりしましたか？　誰かと言葉を交わしたでしょうか？　心が動いた体験を、具体的に語りましょう。

口コミは、聞いた人がつい誰かに言いたくなる時に大きく広がります。映画や本、コスメなど「いいな」と心が動いたら「感動」の「プロセスを具体的」に「ひとくちサイズ」で伝えてみてください。

「誰かのセリフ」を入れて話をイキイキとさせる

それでは口コミの具体例を見てみましょう。
たとえば、「ラジオっていいいな」と心を揺さぶられた人が、こう語ったとします。

ラジオとは、声だけで人の心を動かし、行動も変えてしまう可能性を持つメディアです。人の声は、それほど大きな力を秘めているのです。

文章としてはわかりやすくまとまっているのですが、心にグッときません。話し手がどのような経験をしてそう思ったのか、プロセスが語られておらず、話が抽象的だからです。そこで具体的な経験で伝えてみましょう。

ラジオDJになって数年が過ぎたある日、番組のスタッフさんが言ってくれたんです。「ニシトの番組を聞き始めたら、登校拒否の娘が学校に行くようになったって、知り合いのお母さんがめっちゃ喜んどったで」――実際にお会いしたことはない誰かの力になれるなんて……声ってすごい！　ラジオってすごい！

具体的にプロセスを語るには、このように「　」でセリフを入れると話しやすいでしょう。**聞き手もその場にいるような感じがして疑似体験しやすくなります。**

また「　」でセリフが入ると、話の中に語り手以外の人が登場するので、話が立体的になるというメリットもあります。先ほどの例には、番組のスタッフさんと知り合いのお母さんが登場しました。語り手の視点だけで話し続ける場合と比べて、飽きずに聞いてもらいやすいでしょう。

◆絵が浮かび、心が揺さぶられ、記憶に残る

118ページの体験談のあとに117ページに出てきた話も加えると、具体的な話と抽象的な話を両方伝えることができます。具体的な話は絵が浮かんで心が揺さぶられ、記憶に残りやすいのですが、何を伝えたいのか要点がわかりにくいという欠点もあります。そこで、「つまり何が言いたいのか」を抽象的に伝えると、わかりやすく補えるでしょう。

大切なのはバランスです。具体的な話と抽象的な話、主観的な考えと客観的な事実、盛り上がる部分と落ち着いた部分、早口とゆっくりした語り口、笑いと涙などなど、**いろいろな要素が入っていながらバランスが取れていると、話はおもしろくなるのです。**

Column

言いたいことを整理する練習法

話したいことがたくさんあってまとまらない……。そんな人におすすめの練習法を二つご紹介します。

人前で話す時の準備としても効果的な方法です。

◇話の整理法① 想像の会話をしてみる

まず、言いたいことを一つ決めましょう。言いたいことがたくさん浮かんでくる時は、「これがいちばん言いたい！」と思うことを一つだけ選んでみてください。たとえば、いちばん言いたいことは「思いやりの心で話すことが大切」だとしましょう。

そうしたら、「これを誰かに話したら、その人はなんて言うかな？」と、そこから広がる会話を想像します。

自分：「思いやりの心で話すことが大切だと思うんだ」

相手：「どうして思いやりの心が大切なの？」

自分：「思いやりって、相手を気遣《きづか》うってことでしょ。ということは、相手に自分の話がどう聞こえているのかを想像するのって思いやりだよね。そうしたら、伝わりやすい話し方ができると思うんだよね」

相手：「想像って、具体的に何を想像するの？」

自分：「そうだなぁ。まずは、『この言葉は知ってるかな？』とか『この速さで聞き取れるかな？』って想像してみるといいかも！」

こんなふうに想像で会話を広げたら、自分が話したセリフをまとめます。

思いやりの心で話しましょう。思いやりとは、相手を気遣うということです。相手に、自分の話がどう聞こえているのかを想像すると、伝わりやすい話し方ができます。まずは「この言葉でわかるかな？」「この速さで聞き取れるかな？」と想像することから始めてみてください。

こうして、会話を想像しながら話を整理すると、**相手が聞きたい順番**で話が出てきます。ここがポイントです！

話が整理できない時はその逆で、自分が話したい順番で話していることが多いのです。前提から説明しようとして話が長くなるうちに、自分でも何が言いたいのかわからなくなります。相手も聞きたい話がなかなか出てこないので、「何が言いたいの？」となってしまうのです。

ちなみに、想像の会話をしている途中で「何か違うなあ」としっくりこない時は、最初に決めた「言いたいこと」が、本当に言いたいことではないのかもしれません。他の「言いたいこと」を入口にしてやり直してみてください。

◇話の整理法② 話を三つに分けて考える

続いて、「言いたいこと」を長く話すことも、短く話すこともできるようになる練習法です。

一本の木の幹・枝・葉をイメージしながら、言いたいことを三つに分けてみましょう。幹は伝えたいことの核となる「メッセージ」、枝はその「説明」、葉はそれをさらにかみくだいた「具体例」などです。

たとえば、「あなたが感謝している人」というテーマなら、幹は「誰への感謝か」、枝は「どんなことに感謝しているか」、葉は「感謝の具体的なエピソード」になるでしょう。

次の表のように、左の幹から右の葉へいくほど、話は具体的になります。

抽象的 ⟷ 具体的

幹	枝	葉
母に感謝	おいしいご飯を作ってくれた	子どもの頃、お弁当箱を開くのが楽しみだった
		誕生日には好物のハンバーグをたくさん作ってくれた
	いつもみんなを笑わせてくれた	勘違いが多い（ETCを「E.T.」、スターバックスをオートバックスなど）
		とにかくよくしゃべる（他の人が質問されているのについ自分が答えてしまうなど）

言いたいことを三つに分けて考えると
話がわかりやすくなる

実際に話をする時は、幹から枝、葉と順に話すとわかりやすく話せるでしょう。

朝礼でのスピーチなど、ある程度まとまった話をする時は、話す時間によって葉を一つだけにするといった調整がしやすくなるでしょう。

3章

もしかして、言いたいことを一気に話していませんか？

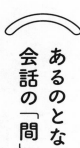

あるのとないのとでは大違い――会話の「間」

「先生に当てられたのに答えられなくて、みんなに白い目で見られた」
「自分からデートに誘ったのに会話が続かず、焦《あせ》ってヘンなことを言ってしまった」
「人前で話していると突然頭の中が真っ白になって、何を言えばいいのかわからなくなった」

誰にでもこのような苦い経験が一度はあると思います。その場から逃げ出したくなるような、冷や汗が流れるあのイヤな「間《ま》」です。

こうした過去の体験は、あなたの話をわかりにくくする一因になっているかもしれません。「あんな経験はもう二度としたくない」と自分を守りたい気持ちが、話の「間」を必要以上に埋めてしまうからです。

◆聞いてくれる相手への気遣い

話に「間」が必要だということは、誰もが知っています。落語に漫才、スピーチに講演、**どんな話も「間」があるからこそおもしろく、感動が生まれるのです。**

それでも「間」を恐れるのは、間を何もない時間だと思っているからかもしれません。

多くのお店にＢＧＭが流れ、家に帰るとついテレビをつけたくなるのも、何もない「間」を埋めたくなるからでしょう。

確かに「間」には音がありませんが、それは音楽でいう休符《きゅうふ》のようなもの。何もないのではなく、休符があるのです。

話にも間というスペースがあるからこそ、聞き手は話を咀嚼《そしゃく》したり味わったりすることができます。

「おもしろいなあ」と笑ったり、「すごいなあ」と感動したり、「つらかっただろうなあ」と共感する。「どういう意味だろう」と考えたり、「自分にもそんなことがあったなあ」と過去を思い出すこともあるでしょう。

それは、食べ物を口に入れたあと、味わう無言の時間があることに似ています。口の中に入ってきた食べ物の味や香り、食感は、時間をかけて感じるものです。もし口の中に食べ物が入っている時に次の食べ物が入ってきたら、味わう余裕がありません。

話し方も同じです。

耳から聞こえてきた話を感じたり、考えたりしている時に間を置かず次の話が

会話の「間」を恐れなくてもいい

続くと、頭の中はいっぱいになって混乱してしまうでしょう。

「間」ができると、相手が手持ちぶさたでいるように見えて不安になるかもしれません。

確かに、話すわけでも動くわけでもなく、じっと座って聞いている状態は、何もしていないように見えます。でも、頭の中はフル回転です。映画を観ている時と同じ状態ですね。

このように「間」は、聞いた人が話を「受け取る」ために欠かすことのできない大切な時間です。

話が途切れるのは気まずいことじゃない

間を恐れる根っこには、自分がどう思われるかという恐怖がありそうです。そのため初対面の人と会う時は、「話すことがなくなって、ヘンな間ができたらどうしよう」と不安になりますが、家族など気心の知れた人との会話で間が生まれても、不安になることはありません。間が恐いのは、相手によく思われたい時です。間ができると相手にどう思われているのかわからず、マイナスの想像が膨らんで恐くなるのです。

「つまらない人だと思われたらどうしよう」

「もう会ってもらえないかもしれない」

これらはすべて、自分がつくり出した想像です。本当かどうかわからない想像を信じて、自分を不安にしているのです。

ということは、恐れを終わりにできるのも自分ということになりますね。不安な想像を膨らませているのも、その想像を信じているのも、すべて自分自身だということに気づけば、恐れは徐々に小さくなっていくでしょう。

◆岡本太郎さんの「間だらけ」の話

それでは、「間」をまったく恐れない方をご紹介しましょう。芸術家・岡本太郎さんです。『芸術と人生』という講演の途中で、言おうとしたことを忘れた岡本太郎さんはこう言いました。

「私は瞬間瞬間に喋《しゃべ》っているうちに、何しゃべっているのか忘れちゃうタイプ。これは大事なことなんでね、ある意味では。（中略）瞬間瞬間に忘れちゃって、瞬間瞬間に燃え上がってるのが本当の生き方なので。昨日はどうだったとか明日はどうなるだなんてことを考えちゃだめなんで――」

ここで非常に大切なことが語られています。

何を喋っているのかを途中で忘れることは、悪いことでもなければ、恐れることでもない、ある意味では大事なことだということです。

それは今この瞬間を生きる本当の生き方であり、本当の話し方です。よどみなく語られる話はきれいに整っているかもしれませんが、自分一人の時に、想像上の聞き手に向けて考えられた言葉です。でも、実際に話す瞬間に生まれる話には、実際の聞き手が含まれます。もし目の前に話を聞いてくださる方がいなかったら、その話は生まれなかった話だからです。つまり、それは話し手と聞き手が一緒に創造したということ。だから、**今この瞬間に生まれる話は、新鮮で生き生きとして心に響くのです。**

大切なことは、上手に話すことではありません。失敗したっていいのです。というよりも、失敗ってなんでしょう。

岡本太郎さんは、講演中に何度も話すことを忘れます。

「また瞬間に忘れちゃいましたけれども――」

そうして話が始まると、また忘れます。

「なんでこんなこと言い出したんだ。またすぐ忘れちゃう――」

しまいには、何を言おうとしたのか忘れるたびに、客席から笑い声が聞こえ始めました。これは失敗でしょうか? 聞いている人が楽しんでくれているのです。

何を言いたかったのかを忘れてしまって間ができることは、失敗ではないのです。

準備したことをそのまま再現することが成功なのではありません。みなさんはそのような話を聞いて、つまらないと思ったことがきっとあるでしょう。でも、いざ、自分が話す段になると、準備したとおりに話したくなります。途中で何を言おうとしたのかを忘れると、つい「すみません」と謝罪の言葉が口をついて出てきますね。でも、よく考えてみると何に対して謝っているのでしょうか。準備していた内容は自分の頭の中にしかないのです。

むしろ謝りたいのは、自分が失敗したくないという保身の気持ちから、今目の前で話を聞いてくださる方に心を向けられていないことのほうじゃないかと思います。

だから、頭の中が真っ白になって「間」ができてしまっても大丈夫です。それは、あなたがこの瞬間を生きていることに他なりませんから。

何を話すか「頭の中が真っ白」になったら

そうは言っても、いざ「間」ができると焦りますね。構いません。もしそうなったら、ゆっくり呼吸してみましょう。落ち着きを取り戻せるはずです。

焦った時に大切なのは、焦りに飲み込まれないことです。焦っている自分に何が起こっているのかを観察してみましょう。「もし○○になったらどうしよう」「そういえばあの時はこうなってしまった」など過去と未来を行ったり来たりしながら、考えが止まらなくなっていきませんか？　その考えが、焦りを大きくしている原因です。呼吸は、焦りの渦《うず》に巻き込まれた自分を「今」に連れ戻してくれるでしょう。呼吸は必ず、今起こっているからです。

呼吸は、咄嗟のことで焦りを感じると自然に止まります。危険を察知した体は、あらゆる動きを止めることでエネルギーの消耗《しょうもう》を防ぎ、体を守ろうとするからです。

小心者の私は、いろいろな場面でよく固まります。

ラジオの生放送中、ゲストの人が時間になっても現われない……。

あと二十秒で放送が終わってCMが流れ出すのに、話をまとめられない……。

司会をしているイベントの本番中に、原稿が一枚抜けていることに気がついた……。

挙げるときりがないほど、よく焦ってフリーズします。でも大丈夫なのです。呼吸をすれば、落ち着きを取り戻せることを知っているから。

焦ってもいいのです。焦ってはいけないと思うと、余計にパニックになります。だから、焦ってしまう自分を許してあげてください。焦った時はとにかく息を吐くこと。そうすれば、落ち着いて今できることを考えられます。焦らないようにするのではなく、焦りが起こっても飲み込まれなければ大丈夫。そして、もし飲み込まれてしまってもやっぱり大丈夫です。飲み込まれたことに気がつけば、いつだって今に戻って来ることができるからです。

◆言葉に詰まったらラッキー!?

かつて、固まって焦っている私に、ラジオディレクターはこんな言葉をかけてくれました。

「ニシトさぁ、お前はDJだから間違っても人は死なない。パイロットや医者なんて大変だよ。人の命を預かってるんだからね。話す時に間違えても誰も死なない。もっと肩の力を抜いてみろよ」

たしかに、マイク越しに話す自分が仮に間違えても、誰かの命を奪ってしまうことはありません。大勢の人の前で話す時や大事な面接、プレゼンの時など、「絶対に失敗できない」と思うと、その考えが自分を余計に緊張させます。極論かもしれませんが、「失敗しても誰も死なない」と考えてみてください。

ジャック・ジョンソンという歌手が私にこんなことを言ってくれました。

「ライブでもし歌詞を忘れたらどうするかって？　みんなが笑って楽しんでくればいいじゃない」

そうです。自分をネタにして笑ってもらえるなんてありがたいことです。話で人を笑わせるのは、泣かせるよりも難しいこと。間違えて笑ってもらえるなんてちょっとラッキーだと思いませんか？

自分がどう思われるかを気にするよりも、伝えたい気持ちにフォーカスしましょう。心が落ち着いてくるのがわかります。**相手のことを考えれば、自分の問題は気にならなくなるのです。**

まずは息を吐いて、落ち着きを取り戻すところから始めてみましょう。

焦ってうまくいくことは、何一つないのですから。

「何を言いたいのかわからない話」の共通点

「間」とは音楽で言うと休符、文章で言うと句読点や改行にあたります。文章を書く時は、自然なタイミングで句読点を打ったり改行したりするように、話す時の「間」も自然な呼吸からは自然に生まれるものです。でも緊張や不安で呼吸が乱れると、ぎこちなくなります。たとえば、何を話そうかと考えるほうに意識が行きすぎると、一文が長くなって間がなくなるでしょう。

こちらの例をご覧ください。

私がなぜ話し方を学びたいと思ったのかといいますと、それは数か月前に起こったある出来事がきっかけなんですが、ある人に私はちゃんと言いたいことを伝えたつもりだったのに、その人は全然違うふうに受け取っていて、「もう、なんでそうなるわけ?」と私は驚いたのですが、話っていうのは自分ではちゃんと伝えているつもりでも、相手にはまったく伝わらないことがあると知って、これはなんとかしなくちゃと思い、インターネットでいろいろ調べてみたんですが……

このように、考えながら話していると「○○なんですが」と「。」のないまま話が続いて一文が長くなってしまいます。

もちろん誰でも話す時は考えながら話しているのですが、「相手にどう伝わっているか」よりも「自分が何を言うか」にばかり意識がいくと、文の切れ目がなくなります。大切なのはバランスです。

文章ならこのようなことは起こりにくいでしょう。目で見て確認できるからです。話す時も、相手の耳にどう聞こえているか、確認しながら話すと届きやすくなるでしょう。

◆一文を短くするだけでこんなに伝わる！

話が冗長だ、わかりにくいと言われる方は、一文を短くするだけで大きく印象が変わります。

先ほどの「。」のない話でやってみましょう。話を長くしている「接着剤」をはがすと、次のような五つのまとまりに分けられます。

①私がなぜ話し方を学びたいと思ったのかといいますと、それは数か月前に起こったある出来事がきっかけです。**（きっかけなんですが）**

②ある人に私はちゃんと言いたいことを伝えたつもりだったのに、その人は全然違うふうに受け取っていたのです。**（受け取っていて）**

③「もう、なんでそうなるわけ？」と私は驚きました。**（驚いたのですが）**

④話っていうのは自分ではちゃんと伝えているつもりでも、相手にはまったく伝わらないことがあると知ったのです。**（知って）**

⑤これはなんとかしなくちゃと思い、インターネットでいろいろ調べてみました。**（調べてみたんですが）**

ここで注目してほしいのは、それぞれの末尾にカッコでくくられた部分です。これらの言葉には、すべて接続助詞といわれる言葉が入っています。

「きっかけなんです**が**」の「が」

「受け取ってい**て**」の「て」

「驚いたのです**が**」の「が」

「知っ**て**」の「て」

「調べてみたんです**が**」の「が」

長い話は短く切るとわかりやすい

接続助詞、つまり「て」と「が」が、文章をくっつけて長くする「接着剤」になっています。

この接着剤は、「。」に変身させることで簡単にはがせます。「て」と「が」を「。」に置き換えると、文が短くなって間ができるというわけです。

「話が長い」と言われる人は、話している時間そのものではなく一文が長い場合もあります。

ある生徒さんは、「いい人なんだけど、

飲み会で近くの席になると話が長くてちょっとめんどくさいのよね……」と、まわりの人から距離を置かれていました。

でも、「て」と「が」を「。」に変えると、言いたいことがちゃんと相手に伝わるようになっただけではなく、自然な呼吸になったので落ち着いて話せるようになりました。また、まわりからの印象は「めんどくさい人」から「志《こころざし》をもった情熱的な人」に変わったそうです。

「話し方一つで相手に与える印象がここまで変わるとは驚きでした」と言う彼がやったことは、一文を短くすることだけ。たったそれだけのことで、人間関係が大きく変わることもあるのです。

「えー」の口グセも必ず直る

生徒さんに「解決したい悩みはなんですか？」と尋ねたところ、多かったのは「『えー』という口グセを直したい」という回答でした。この「えー」も、「間」を埋めて話をわかりにくくする原因の一つで、「フィラーワード」と言われています。フィラーとは、詰め物という意味です。

えー、やめようと思っても、えー、これがなかなかできないもので、えー、意識しようとは思うのですが、えー、気がつけばまた言ってしまっているのです。

この「えー」には変形バージョンがあります。すぐ前の言葉の母音《ぼいん》を伸ばすというものです。

間を埋めているのは、あー、「えー」だけではなくて、えー、このように、いー、最後の母音を、おー、伸ばしてしまうという、うー、変形バージョンがあるのです。

こうした「えー」をはじめとするフィラーワードで、「間」を埋める話し方に慣れている方も多いでしょう。このクセを改善したい方は、次の三つのポイントを実践してみてください。

①「えー」を小声で言う

②「えー」を心の中で言う

③「えー」と言う代わりに息を吸う

話しながら①～③のいずれかを実行するうちに、「えー」がなくなった方がたくさんいます。十分ほどで直った方もいました。「えー」がなくなるだけで話は見違えるように明晰《めいせき》になって、スッスッと聞き手の頭に入ってきます。

◆クセは、やめようとするから直らない

「これまで何度も〝えー〟をやめようと思ったけれど、やめられなかった」という人は多いと思いますが、その原因は「やめようと思っていたから」かもしれません。**クセをやめたい時ほど「やめよう」と思わないほうがうまくいくのです。**

〝えーと言うこと〟をやめようと思うほど、〝えーと言うこと〟を繰り返し意識することになります。頭に思い描く回数が多ければ、現実化しやすいもの。小さな子どもに「お茶をこぼさないように運んで」と言うとこぼしやすく、「お茶を

丁寧《ていねい》に運んで」と言うとこぼしにくいのは、それが理由です。脳は言われたことを思い浮かべずにはいられないので、「○○しないで」と言われると、○○している様子をイメージしてしまうのです。

私はこのことをダイエットの経験から学びました。「食べないようにしよう」と必死だった頃は、四六時中「食べる」ことを考え、結局食べてしまっていましたが、ダイエットをやめると「食べる」以外のことが頭を占《し》めるようになりました。すると、食べる量が自然に減って体重も落ちていったのです。

クセをやめたければ、「やめよう」と思うよりも、他の何かを「やろう」と思うほうが近道です。

「えー」をやめたい時には、小声で言う、心の中で言う、あるいは息を吸う、いずれかを試してみてください。

会話中に相手の様子をよく見ていますか？

「間」を埋めていた要素が取り除かれたら、間を感じてみましょう。

「間」とは、何もないのではありません。
「間」には、多くのものが詰まっています。

まずは、聞き手をよく見て感じます。言葉はなくても、全身でいろいろなことを伝えていることがわかるでしょう。

「おもしろくないなあ」と飽きてきたら、あくびをしたり、時計に目をやったり、携帯電話を取り出してメールをチェックしたりするかもしれません。

「わからないなあ」と感じたら、眉間《みけん》にしわを寄せたり、首を傾《かし》げたり、ななめ上を見上げたりするでしょう。

「もっと聞きたい」と興味をもてば、目を見開いて前のめりの姿勢になるはずです。

「間」が、聞き手にとって「話を受け取ろうとしている時間」だとすれば、話すあなたにとっては「話が伝わっているかを感じる時間」です。それは、相手をよく見ることから始まります。


いいレストランやホテルではお客さんをよく見てくれています。

あるホテルのラウンジで、少し肌寒さを感じてショールを羽織《はお》ると、視線を感じました。マネージャーらしき方が気づいて、空調を確認してくださったようです。

また、大切な人との会食に安心して足を運べるありがたいレストランがあります。会話が途切れないようにタイミングを見てお料理を運んでくださるからです。**間は言葉がないからこそ、他の感覚を開いて感じられる大切な時間なのです。**

◆原稿を読んでいても「相手を見る」には

少人数の会話だけでなく、大勢の前で話すプレゼンテーションでも相手を見ることはとても大切です。

プレゼンでは、スクリーンに映す資料を手元のパソコン画面で見ながら話すことが多いでしょう。その時、相手に語りかけるのではなく資料を読むように下を向いて話せば、伝わる力は小さくなってしまいます。「自分に話しかけられている」と感じられない聞き手は、他人事のように思えて話に集中できないからです。

原稿や資料は必ずしも覚えなくても構いません。覚えたことを思い出しながら話そうとすれば、頭の中の原稿を読むような話し方になります。その場合、目線は斜め上を向くでしょう。どちらにしても、相手を見ることができません。

大切なのは、相手に語りかけることです。原稿が必要な場合は読んでも構いませんが、文の終わりで目線を上げるようにしてください。特に日本語は、文の終わりで肯定《こうてい》か否定かが決まります。「私は、○○だと思います」なのか「思いません」なのかは、文末で決まりますね。文の終わりの言葉はメッセージ性が強くなるので、聞き手と目を合わせたいのです。

皇室の方は、原稿を見ながらお話しされることが多いのですが、文の終わりには顔を上げて聞き手にしっかりと目線を合わせられます。伝えようとするお気持ちや丁寧さが伝わってきます。

もし原稿に目線を戻した時に、どこを話せばいいのかわからなくなってしまう場合は、話している箇所を指先で示しながら話を進めるといいでしょう。

原稿がない場合は、一人ずつ目を見て話してみてください。人前でする話は、

「一方的に伝えるもの」と思われがちですが、相手と会話をするように話すと不思議なほどうまくいきます。大勢の人の前に立つと、それだけで緊張してどこを見ればいいのかわからなくなりますが、一度に目を合わせられるのは一人だけ。三人の目を同時に見ることはできません。ですから、ふだんの会話をするように一人に目を合わせて話をしたら、また違う人に目を合わせて今度はその人と話す。そうやって、一人ずつ会話をするように話していけば、聞き手の数が多くても自然な感じで話せて、緊張もおさまるでしょう。また聞き手の様子を見ながら話しているので、「この説明で伝わっているかな?」「ペースは速くないかな?」と相手の気持ちを自然に想像できます。

「話し上手な人」というと、立て板に水のように次から次へとスラスラ言葉が出てくるイメージがあるかもしれませんが、その人が話すのをよーく見てみてください。

話し上手な人ほど、相手をよく見ながら会話をするように話しているはずです。

話している途中で相手の態度が変わったら……

相手をよく見ながら話すようになると、相手が話についてこれなくなった時にわかるようになります。

相手のそんな様子に気づいたら、相手が感じていることを口に出せるきっかけをつくってみてください。

「ここまでの話でわかりにくかったところはありますか？」

「今の話を聞いて、どこか引っ掛かるところはありましたか？」

あるいは、相手が疑問や反論を持っている、という前提で次のように尋ねると、さらに本音を打ち明けてもらいやすいでしょう。

「ここまでの話で、わかりにくかったところを教えていただけませんか？」

「今の話を聞いて、引っ掛かっているのはどんなところですか？」

このように尋ねると、相手は「わかりにくいところや引っ掛かっているところがある」と自分から切り出さなくてもいいので、思っていることを正直に話しやすくなります。

話の途中でわからないことがあっても、自分からはなかなか言いづらいものです。疑問を呈《てい》すると、相手の伝え方が不十分だと指摘しているように感じるからです。その時、聞き手は「聞く耳」を止めていますから、そのまま話をしても、伝わりにくいでしょう。相手が話を聞けなくなったら、できるだけ早くその理由を伝えてもらって、見えないカベを取り払えるといいですね。

自分が話している時に、相手から疑問や反論を投げかけられることは避けたいかもしれませんが、恐れることはありません。一人ひとり育ってきた環境も価値観も違えば、疑問や反論が生まれるのは自然なことだからです。

ある考えを「正しい」と思う人もいれば、「間違っている」と思う人もいます。「わかる」人と「わからない」人がいるのも当たり前。何も悪いことではありません。

それなのになぜ私たちは、自分の考えに同意してもらえないことを恐れるのでしょうか？

それは、「自分自身」と「自分の考え」を一体化して捉えているからです。考えていることを自分そのもののように感じているので、考えを否定されると自分を否定されたように感じるのです。

そこで、考えと自分を分けて捉えるようにしましょう。そうすれば、考えを否定されても、自分自身を否定されたわけではないことに気づきます。そもそも、考えは変わるものです。ある時正しいと思ったことを、あとから間違っていたと気づくことはよくあります。

もし自分の信じている考えが間違っていたら、本当のことを知りたいと思いませんか？　それとも間違った考えを信じ続けていたいでしょうか。

自分の考えに反論された時は、自分を見直すいいチャンスなのです。

ぶつかるからこそ、わかり合える

自分と異なる意見を恐れていると、話が「かみ合わない」、相手と「わかり合えない」といった状態が変わることはありません。本音は語らず表面的に付き合ったり、自分と同じ考えの人を求めて、渡り鳥のように付き合う人を変えていく。そんな人間関係を求めている人はいないでしょう。

「わかり合える」とは、同じ意見になることではありません。意見が異なる人と対話をし、お互いになぜそう考えるのかを理解して受け入れ合うことが「わかり合える」なのです。

あるテレビ番組で、「わかり合えない」美容院が取り上げられていました。経営者があちこちに監視カメラを設置し、従業員の行動に目を光らせていたため、両者の関係がぎくしゃくしているのです。しかしその経営者が幼い頃に母親を失ったあと、妹や弟を守るために「自分がしっかり目を配っていなければいけない」と考えるようになった事実が明かされます。監視カメラを設置したのは、強い責任感と愛情からだったのです。

誰もが、自分がいいと思うことをやっています。でも、その「いいこと」は人それぞれ。まわりからは理解できないような言動も、本人はそれがいいと思っている、あるいは他に方法を知らなくてそれがいいと信じているのです。

その美容院の経営者は、「なぜそんなに従業員を監視するのか」「そんなに従業員を信用できないのか」と言われるまで、自分はいいことをしていると信じていました。そして、監視カメラ以外にも従業員を見守る方法があると知ると、カメラを外すことにしたのです。

誰かとわかり合えない時、相手を責めたり関係を断ち切ったりすることは簡単です。でも、それってさびしいことですよね。

誰もが、自分をわかってほしいと願っています。正確に言うと、自分が信じている正しさを認めてほしいのです。

それならまずは自分から、相手をわかろうとしてみませんか。**わかり合える関係は、どちらから始めてもいいのですから。**

目を見てわかることを大切に

「目は心の窓」「目は口ほどにものを言う」といいます。だからこそ**目を見て話し、言葉の奥にある思いを感じたい**のですが、目が合うと緊張してしまう人もいるでしょう。じっと見すぎるのもどこか気まずいですし、いつ目線を外せばいいのかタイミングがわからなくなるという声も聞きます。

目が合うことによる緊張には、いくつかの理由がありそうです。まず、目を合わせることには「威嚇《いかく》」の意味があるのをご存知でしょうか。

オランダのロッテルダム動物園では、ゴリラを見学する時に特別なメガネが配られます。そのメガネには横を向いた目が描かれているので、訪れる人がゴリラを見ても、ゴリラは目が合ったとは感じません。もし「目が合った！」と感じると、ゴリラは興奮して攻撃的になることがあるからです。

そんなゴリラの性質は、同じ動物として私たち人間の脳にも組み込まれているといいます。人と目が合うことを避けようとするのは、相手を威嚇しない、あるいは威嚇されたくないという一面もありそうです。

◆日本人は目を見て話すのが苦手

あなたは乾杯をする時にどこを見ていますか？　多くの人が触れ合うグラスを見ているだろうと思います。

でもヨーロッパでは、乾杯の時に目を合わせることは大切なマナー。ドイツには、乾杯の時に目を合わせなければその後七年間、恋人と幸せな夜を過ごせないという言い伝えもあるそうです。そんな海外の人と比べて、日本人は目を合わせることが苦手です。その理由は、目上の人を直接見てはいけなかった、かつての日本文化に由来するのではないかと私は思っています。

貴族文化が栄えた平安時代、身分の高い人は御簾《みす》（すだれ）の中にこもり、人に顔をさらさない生活をしていました。その後、武士の時代にも目上の人の顔を見ることは失礼であるとされます。時代劇に「顔を上げい」と言われるまで目上の人を直視してはいけないというシーンがありますね。また昭和の初めには、天皇・皇后両陛下を写した御真影《ごしんえい》といわれる写真を、直接見たら目が潰《つぶ》れると信じられていました。現在、そのような常識はありませんが、長く続いた日本の文化は私たちの心に根づいているように感じます。

ちなみに、目を見ると言ってもじっと見続けるのは不自然です。マナーの世界では、相手の目を見るのは四秒くらいにするといいといわれています。

またどうしても目を見るのが苦手な方は、最初のステップとして相手の眉間あたりに目をやると話しやすいでしょう。相手にとっても、柔らかい視線になります。

聞き手がどう「ツッコんでくるか」を想像してみる

電話で話す時やオンラインでの会議の時など、しっかりと相手と目を合わせられない状況では、どのように相手を感じればいいのでしょうか？

そんな時は、自分にツッコミを入れる**「一人ツッコミ」**が助けになります。

たとえば、私がこんな自己紹介をするとします。

「ＦＭラジオで十五年間ＤＪとしての経験を積んだあと、話し方を教えるようになりました」

【一人ツッコミ】（でもラジオって、スタジオの中での一人しゃべりだから、人の顔を見て直接話す経験は積んでないのでは？）←

【ツッコミへの返答】「そうは言ってもラジオですから、聴いてくださる方の顔が見えないというちょっと特殊な状況です。しかし、スタジオには国内外からいろいろなジャンルのゲストの方がお越しくださいました。またイベントの司会や歌手としてステージに立つ経験も積むことができました」←

このように、自分が言ったことに対して相手はどう言うだろうと想像し、それに返答するように次の言葉を紡《つむ》ぎます。これが習慣になると、スピーチやプレゼンなど人前で話す時も、相手の返答を想像しながら会話をするような感覚で話せるようになるでしょう。

◆四つの「ない」を探す

ツッコミを入れるポイントは、相手が疑問や反論を持つだろうと思われるところ。それを知るために、**四つの「ない」**を探します。

〈疑問〉聞き手があなたの話している内容を……

①**知らない**：「どういう意味？」「聞いたことない」

②**覚えていない**：「何のことだろう？」「そんな話、してたかな？」

〈反論〉聞き手にとって、あなたの話している内容だけでは……

①**信じられない**：「うそー！」「本当？」「そんなのできそうにない」

②**情報が足りない**：「そうは言っても……」「じゃあ○○はどうなるの？」

このように四つの「ない」から、聞き手がどう感じるかを想像します。

先ほどの自己紹介の場合は、「FMラジオで何年もしゃべってきたといっても、人の顔を見て話していないのだから、話し方を教える人としては経験が偏《かたよ》っているのでは？」＝〈反論〉の②情報が足りない、になりますね。

一人ツッコミをするには、自分のまわりにいるちょっと厳しい人だったらどう言うかな？　と想像してみてください。「自分がこう言ったら、あの人はどうツッコんでくるだろう？」と具体的な誰かを想像すると、聞き手の疑問や反論が浮かびやすいと思います。

また、自分が話を聞く立場の時は、声には出さないけれど心の中でいろいろなことを思っているはずです。そんな自分の内側の声に気がつくと、相手が心で話している声も感じられるようになるでしょう。

そして、もしもあなたがいつも同じような場面で聞き返されたり、反論されたりしているなら、すでに「ツッコまれている」ということ。そんなまわりからの反応は、四つの「ない」に気づく大きなヒントになりますね。

Column

「言葉にしにくいこと」を伝える方法

言いたいことはあるんだけど、言葉にならない!
そんな時の対処法についてお伝えします。

まず、「いいことを言おう」とか「かっこいいことを言いたい」という自分を捨ててしまいましょう。そう思いながら話すと、「いいことを言いたいんだな、かっこいいことを言いたいんだな」という心のほうが伝わります。そんなことはお望みではありませんよね。

「いいこと」や「かっこいいこと」を言おうとしなければ、言葉は見つかります。

「何を言ってもオッケー!」なら思ったことを言うだけだからです。

言いたいことが浮かばない時も、そのままそれを伝えましょう。

「今、○○さんのお話を聞かせていただいて何か言わなきゃってちょっと焦ってるんですけど、何も浮かんでこないんです。困ったなぁ」

感情が込み上げてきて話せない時も、そのまま伝えます。

「今、○○を思い出したらすごく悲しい気持ちになっちゃって、ごめんなさい、ちょっと今いっぱいいっぱいで話せないので、少し時間をもらえますか」


そして、言いたいことは浮かんでいるけれど、こんなことを言ってもいいのだろうかと躊躇《ちゅうちょ》してしまう時は、それをそのまま言ってみましょう。

「今、お伝えしたいことは浮かんでいるのですが、こんなことを言っていいのかなって迷っているんです。これを言ったら、ヘンに思われるんじゃないかなぁって」


また、自分の気持ちを伝えたいけれど言葉が見つからない時は、体の感覚を言葉にしてみましょう。

「なんとなく頭に血がぎゅーって集まってきて、上半身が固まっているような感じがします」

語彙《ごい》力が足りなくて、言葉を見つけられない時は「オノマトペ（擬《ぎ》音《おん》語や擬《ぎ》態《たい》語のこと）」で表現してみましょう。

「なんて言うか、どっひゃーっていう感じだったんです」

さらに、言葉は浮かばないけれど、イメージが浮かんでいる場合はそれをそのまま言葉にするといいでしょう。

「なんて言えばいいのか言葉が見つからないのですが、海に浮かぶ小さな船が見えていて、波にただよっています。その船が自分みたいだなっていう感じがするんです」

具体的なイメージではない場合も、そのまま伝えます。

「なんて言うか、薄いピンク色の中に、濃い黄色の点が一つだけある感じなんです」

いかがでしょうか。「こんなことを言わなければいけない」「こんなことを言ってはいけない」という枠組みがなければ、**その時自分に起こっていることをそのまま話すだけ**です。言葉が見つからなくても、なんて言えばいいのかわからなくても大丈夫なのです。

自分を制限する枠組みは、自分がつくっています。こうでなければならないという自分が信じている考えが、枠をつくります。

あなたが思う「こうでなければならない」は本当でしょうか？　改めて考えてみませんか。

4章

メリハリのある話し方で印象はガラリと変わります

「話しているのに伝わらない」四つの理由

あなたは話している時に、自分の声を聞いていますか？　音としては聞こえていても、聞こうとしている感覚はないだろうと思います。

さあ、あなたの話をしっかり相手に届けるために、話している自分の声に耳を傾けてみましょう。声にしている音はすべて聞き取れるでしょうか？

自分の声を聞きながら話すと、いつもより話すテンポがゆっくりになります。

頭の中で話そうと思ってから空気中に声が響き、それを耳で聞いて認識するには少し時間がかかるからです。そのため、早口の方にも有効な方法です。
録音したり、専用のイヤホンをしたりする必要はありません。ふだんの会話の中で「聞こう」と意識するだけで十分です。そうして「言っているつもりのこと」がちゃんと相手に「聞こえる音」になっているかを確かめるようにすると、話す内容が、相手にどう届いているのかも意識するようになるでしょう。

ちなみにラジオDJが番組で話す時、ヘッドホンをしながら話していることをご存じですか？　あのヘッドホンからは、マイクが拾った自分の声がほんのわずか遅れて聞こえるようになっています。初めのうちは慣れずにヘンな感じがしますが、次第にヘッドホンをしていなくても、自分の声を聞きながら話すことが日常になります。そして、相手の耳に自分の声がどのように聞こえているのかを意識しながら話すようになるのです。

相手が聞き取れない「音」は、存在しないのと同じこと。どんなにわかりやす

く話しても、声が届かなければ伝わりようがありません。

声が届かないパターンはおもに四つあります。

①柳の木型
②尻すぼみ型
③ダイナマイト型
④うろこ型

一つずつ順番に見ていきましょう。

①語尾が下がっていく「柳の木型」

まずは語尾に向かって声が下がり、聞こえにくくなっていく「柳の木型」です。

もじにすると

こんなかんじです

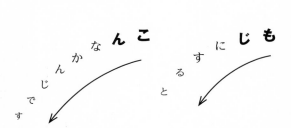

先述しましたが、日本語は、最後まで聞いて初めてその内容を肯定しているのか、否定しているのかがわかるつくりになっています。「こんな感じです」と「こんな感じではありません」では、真逆の意味になりますね。だから、語尾までちゃんと聞こえるように話さないと、肝心《かんじん》なところが伝わりません。「柳の木型」で声を出すことに慣れている人は、その大切な語尾をしっかり伝えるため、フレーズの終わりに向かって音を上げるイメージで話してください。

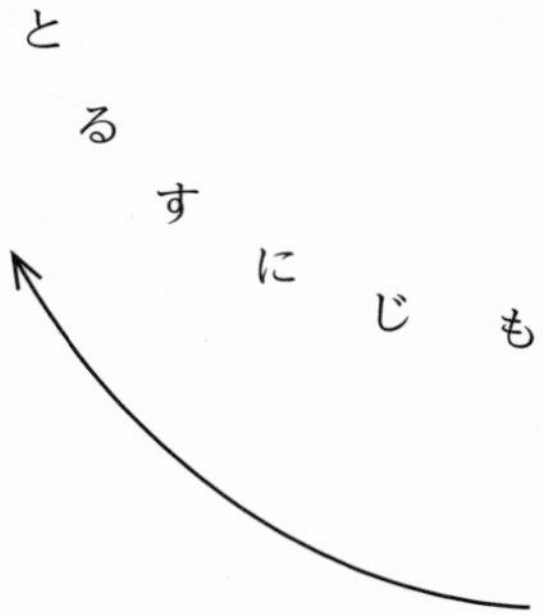

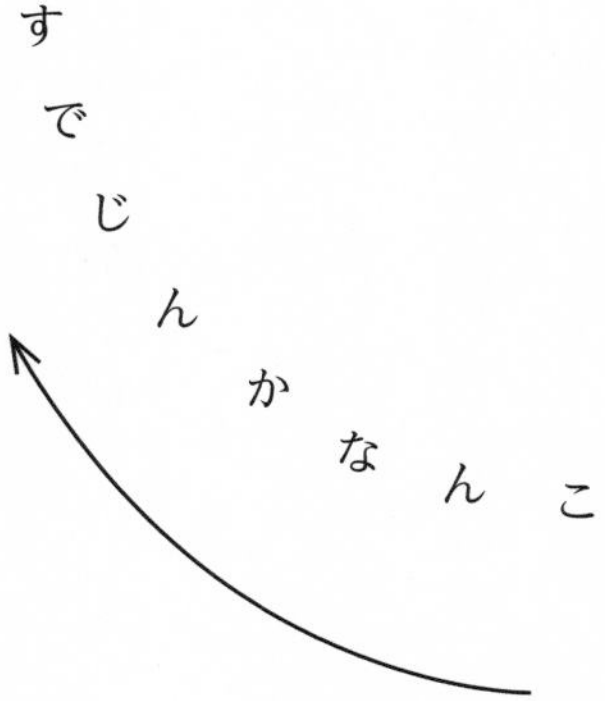

こんなに音を上げたらヘンに聞こえそうな気がしますが、実際にやってみるとちょうどいい具合になるでしょう。本人が普通に話しているつもりで語尾が下がっているということは、語尾を上げようとすると、結果として真っすぐ前に伸びることになるからです。

本人にとっては慣れない話し方なので、初めのうちはヘンな感じがすると思います。**でも心地よさとは、これまで何度も繰り返してきた慣れからきているのであって、それが自然だからとは限りません。**

クセを直す時に「心地悪さ」は付きものです。自分の快適ゾーンの外へ出て、相手の耳に届く話し方に挑戦してみてください。

「柳の木型」の人は、目の前に伸びる緩《ゆる》やかな上り坂を上っていくイメージで話すといいでしょう。

②最後が聞こえない「尻すぼみ型」

続いて、尻すぼみになって語尾が聞こえなくなるパターンです。

もじにするとこんなかんじです

今度は声の大きさがどんどん小さくなっていくので、やはり語尾が聞きとれません。「尻すぼみ型」の人は、語尾に向かうほど声を大きくすることを意識しましょう。

もじにすると**こんなかんじです**

これも①「柳の木型」と同じ原理で、思い切ってやってみるとちょうどいいバランスにおさまります。これまでと違うことをやる時に違和感があるのは当たり前。逆に違和感がなければ、今までと同じことをやっている可能性が高いでしょう。「尻すぼみ型」の人は、お尻が膨らむようにどんどん音の粒を大きくしていってください。

③語尾が目立ちすぎる「ダイナマイト型」

今度は、語尾が大きくてそれ以外の部分がよく聞こえないパターンです。

導火線に火をつけると、チリチリ燃えて最後にドッカーンとなるダイナマイトに似ています。

もじにする**とー**こんなかんじ**で**す

若い女性に多く見られる話し方です。語尾の「と」や「で」にアクセントが置かれますが、むしろそこはボリュームを抑《おさ》えたいところ。このパターンの話し方に慣れている場合は、フレーズのはじめにアクセントを置くことを意識します。

もじにすると**こん**なかんじです

アクセントは、少し重いものを丁寧に置くようなイメージを持つといいでしょう。基本的に日本語は、語尾へ行くほど音の高さも大きさも下がっていくのが自然です。ただし、下がりすぎると、柳の木型や尻すぼみ型のように、聞こえなくなるのでご注意ください。

④早口で聞き取りにくい「うろこ型」

最後は、早口な人がおちいりやすい「うろこ型」です。

早口とは文字にするならこのような状態です。字が小さいので「一生懸命に見よう」としなければよく見えませんし、目も疲れやすくなります。
また一行あたりの文字数が一気に増えたので、読むのにより時間がかかります。これを話に置き換えるとどうなるでしょうか。「一生懸命に聞こう」としなければよく聞こえないので、頭が疲れやすくなります。そして一分間あたりの文字数が増えるので、ゆっくり考えたり感じたりすることができません。
でもこのように改行したり、句読点で間を多めにとったりすれば、聞きやすくなるでしょう。

文字の大きさを元に戻します。

一つお伝えしておきたいのは、早口が悪いわけではないということです。早口は直さなければいけないと考えられていますが、早口も表現方法の一つ。スポーツ中継などスピード感を伝えたい時は、早口でしゃべるほうが盛り上がります。また体験談を話す時も、興奮や感動は早口のほうが伝わるでしょう。早口の時に気をつけたいのは、聞き取れるように話すことです。早口で聞き取れない時は、こんなふうになっています。

もじにするとこんなかんじです

文字が魚のうろこのように重なり合って、見えづらいですね。音がこの状態になると、聞き取るのが難しくなります。

「うろこ型」になる原因の多くは「焦り」です。言いたいことがたくさんあって、全部を話さなくちゃと焦ったり、相手の反応が気になって焦ったり、うろこ状態になった自分の声が耳に入ってきて焦ったりすることもあるでしょう。

そんな時は深呼吸です。ゆっくり呼吸すれば、落ち着きを取り戻せます。また、目を閉じて話すと、目を開けている時と比べて自分の声がよく聞こえます。相手の反応も見えませんから、落ち着いて一音ずつ丁寧に話せるでしょう。

さて、あなたは①柳の木型、②尻すぼみ型、③ダイナマイト型、④うろこ型のどれに当てはまりますか？　わからない場合は、まわりの人に聞いてみましょう。自分の声を録音して聞いてみるのもいいですね。動画の場合は、見るほうに気を取られてしまうので、目を閉じて聞くと確認しやすいでしょう。

話している途中で「えっ？　なんて言ったの？」と聞き返されることが続くと、話すことが苦手に感じられてしまうもの。どうか、そうなってほしくないと思います。一つひとつの音を丁寧に届けましょう。あなたの心を伝えてくれる声は、まわりの人とあなたをつなぐ架《か》け橋です。音を大切にする話し方は、つながりを大切にするあなたの心を表わしてくれるでしょう。

「声のトーン」はもっと活かせる

相手に声が届くようになったら、今度は声の表現で遊んでみましょう。絵のように描いた文字を見ながら話してみるのです。48ページに大きく描いた「やま」という文字を見ると声が大きくなるように、私たちの声は視覚情報に大きな影響を受けます。大きさだけではありません。声のスピードや声の高さなども、視覚に影響されて変わります。

さぁ、好きな筆記具を選び、好きな色やフォント（字体）、大きさで書いた文字を見ながら話してみましょう。声の表情が豊かになりますよ。

楽譜が読めないあるミュージシャンは、クレヨンやマジック、色鉛筆《えんぴつ》で歌詞を描いたオリジナルの楽譜を作っていました。高い音は細い線で、マイナーといわれる悲しい感じの響きは暗く太い線で描くなど、まるで絵のような楽譜は、すでにそれ自体が表現になっていました。

話すための原稿も、いろいろな筆記具を使って、色や大きさも自由に描いてみましょう。強く言いたいキーワードは太くして赤線を引いたり、やさしく伝えたいところは緑色で書いたりするなど、パッと見ただけで表現したいことが声に表われるように描くのです。話す内容も自然と覚えられて一石二鳥です。

◆大切な人への「ありがとう」はどんな声で伝える？

それではさっそく、大切な人に感謝を伝えると想像して、「絵のように文字を描く」ことをやってみましょう。

どんな筆記具で書きたいですか？

色鉛筆？　それともマジックでしょうか？

マジックにも水性、油性といろいろありますね。

色は、何色がいいでしょう？

フォント（字体）は、ありがとう、**ありがとう**、**ありがとう**、ありがとう、**ありがとう**、ありがとう、などいろいろありますが、どれがしっくりきますか？

大きさはどれくらいがいいでしょう？

あなたの心を表わすぴったりの「ありがとう」を探してみてください。


もしあなたが「これだ！」と思って、ピンク色のクレヨンで、**「ありがとう」**と書いた手紙が、相手の手元に届いた時にはなぜか薄い水色の鉛筆で書かれた、「ありがとう」になっていたら、「私の伝えたかった〈ありがとう〉はこんなんじゃない！」と言いたくなりますね。

声のトーンで印象は大きく変わる

声も同じです。その時感じる自分の気持ちを表わす声があるはずです。ただ、声は目に見えないので、**「ありがとう」**と言ったつもりが、「ありがとう」になっていても気がつけないかもしれません。

「自分では軽く言ったつもりなのに、相手には強く聞こえて傷つけてしまった」
「心を込めたつもりがぶっきらぼうに聞こえたようで、感謝が足りないと言われた」

こんなことが起こるのは、あなたの感

じていることが声になった時に、形を変えてしまったからかもしれません。
自分の体は声という音を奏でる楽器ですから、練習を重ねるほど心を表わす音を出せるようになります。

そうは言っても、ほとんどの人はプロフェッショナルな声の表現者になろうとしているわけではありませんよね。そこで、遊び感覚で色・フォント・大きさなどを、自分の気持ちに近い文字で描くという方法を試してみてください。描いた文字に助けられて、声の表現が豊かになります。

日本語に「声色《こわいろ》」という言葉がありますね。声は見えないのに色と表現されるのは、声を聞いた人の心に色が見えたからでしょう。
あなたの心の色を、声の色で伝えてみませんか。

時には思いっきり感情を出してみる

あなたは、笑いたい時に笑って、泣きたい時に泣いていますか？

自分の感情を出さないように我慢しすぎると、声に「色」がなくなっていきます。楽しい話も、悲しい話も同じ声になってしまうのです。

人はもともと、感じるままに声を出す生き物です。小さな子どもの声は心を映し出すピカピカの鏡。感じていることはそのまま声になって表われます。

ところが三歳くらいになると、鏡は曇り始めます。その理由を、コロンビア大学の演劇部門で名誉教授をつとめたクリスティン・リンクレイター氏が次のように説明しています。

生まれたばかりの赤ちゃんは、おなかがすいたら大声で泣いてまわりに知らせ、食べ物をもらいます。ところが、三歳になった頃から、「クッキーが食べたいよー。食べたい、食べたい、食べたーい」と言って大声を出しても、クッキーはもらえなくなります。「いい子にしていたらあげるわよ」「ちゃんとお願いをしなさい」と諭《さと》されたり、時には叱られたりするのです。すると子どもは、「もし、いい子にしていたら、クッキーをくれる？　お願いだからくれますか？」と、お願いの仕方を覚えます。これが、心と声が離れていく瞬間です。

このあと心と声は、いろいろな出来事をきっかけにしてますます離れていきます。

ある男性は、奥様に感謝を伝えても「心がこもっていない」と言われて悩んでいました。確かに彼は、どんな話をしても声や表情が変わりません。ところが、子どもの頃は活発で、みんなの前でも自分から発言するようなタイプだったそうです。

それが、転校先の学校でおとなしくしていたらみんながすごくやさしくしてくれたので、おとなしくすれば受け入れてもらえると思い、寡黙《かもく》になったそうです。

ある女性は子どもの頃、家の中でいつも声を出さずに静かにしていたといいます。朝、仕事を終えて帰ってくるタクシー運転手のお父さんに、体を休めてほしかったからです。

「疲れているお父さんを起こしてはいけない」

彼女は声を出さないように我慢しました。すると、いつの間にか思うように声が出なくなったそうです。「お父さん思いの、やさしいお子さんだったんですね」と声を掛けると、彼女の目から大粒の涙がこぼれました。

また別の男性は、小学生の時に担任の先生からこう言われたそうです。

「あなただけ目立つから静かにしなさい」

自分から進んで学級委員をやるほど元気だった男の子は、「大きな声を出さずに、おとなしくしなくちゃ」と口数を少なくしたといいます。

少し低めの声が印象的な美しい顔立ちの女の子は、カラオケで友達から言われたひとことがきっかけで、声を出すことが嫌いになりました。

「〇〇ちゃんの声って、なんかヘンだね」

話すことも歌うことも大好きだった彼女は、それ以降口をつぐんでしまったのです。

◆感情と上手に付き合う方法

さまざまなきっかけで感情を抑えていると、表情があまり変わらないため顔の筋肉が硬くなっていきます。声を出すための筋肉も柔軟に動かなくなるので、声の表情は乏《とぼ》しくなるでしょう。

ここで一緒に考えてみたいのは、感情を抑えることの影響です。一般的に感情はコントロールしなければいけないと思われています。そのため、感情を抑えたり蓋《ふた》をしたりすることになるのですが、そのコントロールは一時的なものでしかありません。心の中に溜まった感情は、違う場面で違う相手に対して表われるからです。

ある女性は、いつも不機嫌そうな顔をしていました。その理由は、子どもの頃から誰にも言えずに抱え込んできた悲しみをわかってほしかったからです。その願いが歪《ゆが》んだ形で表現されていたのです。

また、ふだんはニコニコして物腰の柔らかな印象の女性は、時々不満を爆発させてはまわりの人とぶつかっていました。「いい人でいなければいけない」と自分の欲求を抑えようとするのですが、抑えきれない時にきつい物言いになっていたからです。

二人とも、抑圧している感情が原因になっていることに、まったく気づいていませんでした。感情を長く抑えれば、抑えているという感覚がなくなります。そのため、心身の両面にいろいろな形で表われても、原因が思い当たらないまま悩まされることになるのです。

もちろん、感じたことをすべてあけっぴろげにしましょう、というのではありません。腹が立ったからといって怒りをぶつければ、相手も自分も傷つけることになります。それは思いやりに欠けた行為です。そうではなく、感情に「気づく」だけでいいとしたらどうでしょうか。

起こる感情に飲み込まれるのではなく、抑え込んだり無視したりするのでもなく、気づいて感じる。そうすれば感情は爆発することなく終わっていくからです。

たとえば、誰かと話していて怒りが生じたとします。その時、怒りに任せて何かを言ったり、怒りを抑え込んだりする前に、「今、怒りの感情が自分に起こっている」ということに気がつくよう努めます。気がついたということは、その感情の波を客観的に観ている状態ですから、もう飲み込まれることはありません。たとえて言うなら、海の波を少し離れた浜辺から見ているような状態です。

もちろん怒りに気がついても、体に反応は起こるでしょう。顔が赤くなったり、心臓がドキドキしたりするかもしれません。それをただ感じます。そのうちに、反応は終わっていくでしょう。結果として、自分の振る舞いはコントロールされたことになりますね。でも、感情を溜め込むことはありません。

感情をコントロールしようとして、抑圧したり、なかったことにしたりするのではなく、生まれた感情に気づいて体に起こる感覚を感じきる。そうすれば、意図せず声や表情に出して感情をぶつけてしまうようなことは減っていくでしょう。

遠くの人にもよく聞こえる声の出し方

狂言師の友人が出演する舞台を見に行った時のことです。

狂言は基本的にマイクを使いませんが、彼の声はとてもよく聞こえました。数百人の観客を前に生声《なまごえ》で語られる彼のセリフは、がんばって聞こうとしなくても、言葉のほうから目の前にやってきてくれるように感じられるのです。

その理由は、彼の上の歯にありました。**上の歯が見えていると、声は遠くまで飛びやすくなります。重なる唇《くちびる》が、音をミュートしないからです。**

もしあなたが、

「お店で店員さんを呼んでも、振り向いてもらえない」

「会議でも、声が通らないので聞き返される」

という悩みを感じているとしたら、上唇がジャマしているかもしれません。その場合は、笑顔で話してみてください。笑顔になれば、口角《こうかく》が上がって上の歯が見えるからです。

話す時に上の歯が見えるようにするだけで……

しかし、笑顔で話すことに抵抗を感じる方もいます。

ある女性は、歯並びが悪いことや、歯が黄色いことを気にしていました。気持ちはわかりますが、それで笑顔がなくなってしまっては、歯の印象以上にマイナスの印象を与えるかもしれません。それよりも笑顔で話すほうが、ずっと魅力的だと思いませんか。

また、「男は歯を見せて笑うもんじゃない」と言われて育ったので抵抗がある、という男性もいました。そのせいでノドを絞って話すようになったので、いつもノドが痛いそうです。それなら笑ってもいいんじゃないでしょうか。

声が通らないからといって、ノドが痛くなるような大声を出す必要はありません。自然な笑顔で上の歯が見えれば、声は遠くまで飛んでいってくれます。

また、年齢を重ねるにつれて声が出づらくなることがあります。その原因の多くは、浅い呼吸です。声をつくる空気に勢いがなくなってしまうのです。

その場合は、たくさん息を吐く練習をしましょう。息は吐いた分だけ吸うことができます。口をすぼめて、細く、できるだけ長く息を吐きます。苦しくなって「もう無理!」という限界まで息を吐き切るようにすると、たくさん吸えるので呼吸が深くなっていきます。細いストローを使うとやりやすいですよ。

どんな声も美しく響く

声にコンプレックスを持つ人はたくさんいます。というよりも、ほとんどの人が自分の声を好きじゃないのではないでしょうか。

シンガーソングライターの井上陽水さんが「ずっと自分の声は好きじゃなかったんですよ」と言われた時は驚きました。多くの人を魅了する声の持ち主でも、コンプレックスに感じるのです。

では、どうして自分の声を好きになれないのでしょうか。その理由は、単に聞き慣れないからだろうと私は思っています。録音した自分の声を初めて聞くと、誰もが驚きます。生まれてこのかた聞いてきた声と違っているからです。自分に聞こえる自分の声は、骨や筋肉、体内の空洞が振動する音も含むため、他人が聞いている空気振動だけの音とは異なります。だから「何、この声?」と違和感を覚えて嫌いになる、つまり聞き慣れていないだけだと思うのです。

◆声は「世界に一つだけの楽器」が奏でる音

あなたの体は、この世に一つしかない楽器です。

あなたの声は、あなたという楽器にしか出すことができません。

世の中には多くの種類の楽器がありますが、どれがいちばんいい音かと聞かれても答えることは難しいでしょう。それぞれの音に、それぞれのよさがあるからです。

人間の体という楽器も同じ。あなたの声には、あなたの声にしかないよさがあります。どんな声も世界に一つだけの素晴らしい音色です。もちろん、どんな楽器も練習をすればよりよく響くように、私たちの体もボイストレーニングによって今以上に響く楽器になりますが、もともとは誰もが響かせ方を知っていたはずです。赤ちゃんは全身を響かせて大きな声で泣きますが、泣きすぎて声が枯《か》れた赤ちゃんなんて聞いたことがありません。生まれながらに楽器の奏で方を知っているのです。

ところが年を重ねるにつれて姿勢が悪くなったり、呼吸が浅くなったり、ノドに無理に力を入れたりして、楽器は本来の響きを失っていきます。また、隣の芝生は青く見えるもので、自分とは違う楽器への憧《あこが》れがジャマをすることもあるでしょう。本来はバイオリンのように高い音がよく鳴る楽器を持っているのに、コントラバスのような低音に憧れてがんばってしまったりするのです。

いい声とは、周波数がいくつついくつで、などと数値で表わせるものではないはずです。世界に一つしかないその人の楽器がその人らしく鳴る時に、聞いた人は「いい声だな」と感じるのではないでしょうか。

ガラガラ声やしゃがれた声は、いわゆる「いい声」ではないかもしれません。

でも、魚屋さんの大将が「安いよ、安いよ～」と道行く人に掛けてくれる大きな声や、電話の向こうから「元気にしてるんならよかったよ」と言ってくれるおばあちゃんの声は、心に沁《し》みます。一方、どんなにきれいでも、お高くとまって人を寄せつけない声や、どんなに低音が響いても自分の声に酔ったような声は、心に響かないでしょう。

あなたの声は、相手を心から思う時、もっとも美しい響きを放ちます。

Column

投げるボールは自分で決める

ある男性が、いつもの売店で新聞を買った時のことです。彼は売店の人に礼儀正しく挨拶《あいさつ》をしましたが、返ってきたのはつっけんどんで不作法な応対でした。

さてこんな時、あなたならどうしますか？

その男性は、にこやかに微笑《ほほえ》みながら「楽しい週末を過ごしてくださいね」と伝えたそうです。それを見ていた友人はびっくりして彼に尋ねました。

「あの売店の人はいつも、あんな乱暴な態度なの？」

「うん。残念ながらね」

「それでも君は、いつもあんなに丁寧で好意的に接しているの？」

「そうだよ」

「どうしてそんなに親切にするの？」

「だって、自分がどう行動するかを、あの人に決めてもらおうとは思わないからね」


相手が無愛想な時は、自分も無愛想になることが多いですね。でもこの男性が言うように、相手の態度によって自分の接し方を決めると、自分がどう生きるかは相手が決めていることになります。自分の人生のハンドルは、自分が握っていたいですよね。


そこで大切なのは、「リアクション」ではなく「アクション」をすることです。

リアクションとは、相手の言動に反応すること。アクションとは、相手の言動に関係なく、自分がどうしたいかに基づいて行動することです。

アクションをするためには、自分が反応的なコミュニケーションをしていることに気づくことが第一歩となります。自分が相手に反応していることに気づいたら、「本当はどうしたいんだろう？」と自分に問いかけてみてください。

先日、引っ越しをした生徒さんが、新しいマンションでは誰も挨拶を返してくれないと嘆いていました。そのうちに自分も挨拶をやめてしまったそうです。すると高校生のお嬢さんに、「ママ、挨拶は大切だから、返してもらえなくてもしたほうがいいよ」と言われて、自分がどうしたいのかを改めて考えます。その結果、「相手が返してくれるかは関係ない、自分が挨拶をしたいからしよう！」と思い直して挨拶を始めたら、今度は全員が挨拶を返してくれたそうです。

そこで気がついたのは、以前は相手の反応が気になってちゃんと目を見ていなかったということ。挨拶を返してもらえない理由は、自分だったことに気がついたそうです。

あなたもリアクションではなく、アクションを始めてみませんか。

5章

よりわかり合える人間関係を築く5つのポイント

①「流暢に話す」ことの落とし穴

誰が聞いてもわかりやすい話し方、相手の心に響く声についてお話ししてきました。ここまでの内容をちょっと意識していただくだけで、あなたの話し方は格段に「伝わる」ものになっていくでしょう。

ここからは、わかり合える人間関係を築くコミュニケーションについてお伝えしていきます。

「コミュニケーション」のもともとの意味をご存じでしょうか？

コミュニケーションの原義は、「わかち合うこと」です。

驚き、発見、喜びや悲しみなど、自らを表現して誰かとわかち合いたい、人間はそういう欲求を持っています。いい景色を見れば、その喜びを自分だけに留めておくのではなく、写真を撮ったり、絵に描いたり、文章に綴《つづ》ったりしたくなります。話すことも、そんな表現手段の一つ。**私たちは、心をわかち合いたくてコミュニケーションするのです。**

ところが、日々のやりとりではそんな目的を忘れて、手段が目的になってしまうことがあります。知り合いのラジオDJは、「話が嘘《うそ》っぽい」「中身がない」と言われて悩んでいました。彼はいい声で、滑《なめ》らかによどみなく話をします。でも彼の「ラジオDJっぽい話し方」には、心動かされる「何か」がありません。決まったカタチに自分をはめこむ代わりに、伝えたい心がこぼれ落ちてしまったように聞こえます。流暢に話す人の言葉が時に表面的になってしまうのは、わかち合うことよりも上手に話すことが目的になってしまうからでしょう。

話す時に大切なのは、心です。

たとえば結婚式で、人前で話した経験などがほとんどない親戚《しんせき》のおじさんが、言葉に詰まりながら口にする「おめでとう」のひとことに涙することがあります。

そこには、言葉にならない祝福の気持ちがあふれているからです。


「ありがとう」「ごめんね」「好きだよ」「許してほしい」

どんな言葉も、カタチだけでは伝わりません。

◆大切なものを見過ごさない

禅に、「指月《しげつ》のたとえ」という教えがあります。月を示そうと指さしても、愚者《ぐしゃ》は肝心の月を見るのではなく、指を見てしまう。ここでいう指とは言葉のこと。

伝えたいことは「月」であり、言葉は伝えるための手段にすぎないのに、私たち

「月のことを言っているのに、
聞いている人は指を見ている」
こんなすれ違いを
起こさないためには

は言葉にとらわれがちです。月を示す指は、月そのものではありません。どんなに指を見ても、指は指。大切なのは、その指が示そうとする月を見ることです。

これは、話す側と聞く側、両方の立場において心に留めておきたい教えです。話す時は、言葉を重視するがあまり、伝えようとする本質を見失っていないかと自らに問いかけたい。

また聞く時は、相手が語る言葉よりも、その奥にある心を聞くことを忘れずにいたいと思うのです。

②わかり合える聞き方

「なんて言えばいいんだろう」

伝えたい思いはあっても言葉が見つからないことがあります。あなたは、自分が伝えたいことを何％くらい言葉にできていますか？　一〇〇％という人はきっといませんね。ところが他者の話を聞く時は、言葉を一〇〇％のように感じていないでしょうか。

相手が伝えたいことは「言葉」ではありません。言葉が指し示そうとする「何か」です。相手が伝えようとする何かに意識を向けましょう。

その時、**自分の言いたいことはできるだけ横に置きます**。話を聞いている自分を観察してみると、頭の中でいろいろなおしゃべりをしていることに気がつくでしょう。「そうじゃない」「こうしたほうがいい」「私の場合は」と言いたいことがいろいろ出てきます。いつ言おうかとタイミングをはかるうちに、相手の話が聞けなくなりますね。頭の中のおしゃべりに気がついたら、いったん心の片隅に置いて話を聞くことに戻りましょう。

もし言いたいことを忘れてしまったら、と心配する必要はありません。忘れたということはきっと、その時には言う必要がなかったのです。

また、話を聞く時は、自分から相手に歩み寄ることを心がけましょう。相手がどういった経験をして、何を感じ、何を考えたのか。相手の頭と心の中に入って理解しようと努めるのです。相手の心の中に自分が「出かけていく」ようなイメージです。

自分は動かないまま、自分の世界に相手の話を持ち込んで、自分の価値観で解釈・判断していないでしょうか。たとえば、友人の悩みを聞いて、「それは○○型によくある□□タイプの悩みだね」と自分の知識にあてはめてしまうのもその一例です。まずは、相手の話をよく聞いて理解しましょう。自分の主張をいったん横に置いて、相手の心を感じれば、相手の心が自分の心のように感じられるでしょう。

◆みんなわかってほしい、それならまずは自分から

これまで多くの方が、人間関係の悩みを聞かせてくれました。その内容はさまざまですが、集約すると、「自分をわかってもらえない」という苦しみに聞こえます。みんなわかってほしいと思っているのです。それならまずは自分から相手をわかろうとしてみませんか。そう言われると「自分のことをわかろうとしてくれない相手が悪い」と言いたくなりますね。

相手が悪いと言う時、そう言う自分のことは正しいと思っているものです。誰

もが自分は正しいと信じているのです。すると、人の数だけ正しさが存在することになりますから、お互いの正しさを主張し合ってもぶつかるばかりです。「わかり合う」とは、そのように自分が信じている正しさの外側に出て、対話しようとする姿勢から生まれます。

全世界で八〇〇万部を超えるベストセラー『ワンダー』（R・J・パラシオ著／ほるぷ出版）に、こんな言葉があります。

「正しさとやさしさ、どちらかを選ぶ必要があったら、やさしさを選ぼう」

この言葉は、こんなふうに聞こえます。

「正しさを主張してぶつかり合うのは、もう終わりにしよう。すべての人の中にあるやさしさを表現できたなら、きっと私たちはわかり合えるから」

相手との違いよりも、相手と同じであることに目を向けていきませんか。

そうすれば、超えられない溝はないと私は信じています。

◆相手に労力をかけない「思いやり」

自分と違う考えは、受け入れにくいかもしれません。でも、自分が信じている考えは、ほぼ環境によってつくられたものだと思いませんか？　もし自分が、違う国の違う両親のもとに生まれて違う言語を話し、違う教育を受けてきたなら、きっと今とは違う考えを信じていたことでしょう。

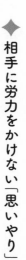

意見が違うのは、素敵なことです。違いがあるからこそ、多様性にあふれる世界が創られます。そんな美しい世界を生きる私たちに、今求められているのは、その違いを受け入れ合う思いやりの心ではないでしょうか。

ここまでお伝えしてきたさまざまな話し方のテクニックは、「相手を思いやる心」がベースになっています。あなたが自分の気持ちを伝えたいその人は、自分とは理解の速さが異なるでしょう。知っている言葉も、専門領域も、興味も性格も違うでしょう。その相手がわかるように話すことは、相手を気遣う思いやりです。

自分が話しやすい速さで、使い慣れた言葉で話すことは考えなくてもできるのでラクなのですが、自分がラクをすると、そのぶん相手に労力をかけることになります。

相手が聞き取りやすいように大きめの声で話したり、相手にわかりやすい言葉を選んだりする工夫は、相手の負担を少しでも軽くしてあげたいという思いやりのカタチなのです。

③「聞いてくれる人がいるから話せる」ということを忘れない

あるリゾートホテルにチェックインする時、フロントで受けた説明はとても機械的なものでした。毎日同じ説明を繰り返しているのでしょう、よどみなくムダがなくてわかりやすいのですが、録音した音声のように聞こえるのです。効率を考えれば、それはラクな話し方かもしれません。でも、そのリゾートを訪れる人に楽しんでほしい気持ちを思い出せたら、話し方が変わるだろうなと思います。

ラジオ番組のインタビューで、JUDY AND MARYというバンドのボーカルだったＹＵＫＩさんにこんな質問をしたことがあります。

「何度も同じ話をしていて飽きることはありませんか？」

すると、ＹＵＫＩさんは笑顔でこう言いました。

「飽きないよー。だって、聞いてくれる人は毎回違うんだもん」

ミュージシャンは、新しいＣＤを発売すると全国のラジオや雑誌、テレビなどの取材を受けます。話す内容は、アルバムのタイトルやレコーディング時のエピソードなど基本的には同じです。

でもＹＵＫＩさんは、相手に心が向いていました。ライブの打ち上げに呼んでもらった時も、隅《すみ》で緊張する私に「楽しんでる？」と声をかけてくださったやさしさを、今でも覚えています。

同じ話を何度も繰り返し伝えなければいけない時、飽きてしまうのはある意味自然なことです。**でも、自分にとっては当たり前に思える話も、「聞く人にとっては初めて」ということを心に留めておきたいですね。**

つい忘れてしまうのは、聞いてくれる人がいるから話せるということです。自分の話を聞いてくれる人がいる。それって、本当はすごくありがたいことですよね。聞いてくれる人がいなければ、話は話として成立しないのです。

地球上にいる八〇億人のなかで、いただけたご縁に感謝する心を忘れずにいたいと思います。

みなさんの中にも、仕事などで「いつも同じ話」をしているという方がいるかもしれません。毎日繰り返すうちに、伝えることが作業になってしまうこともあるでしょう。そんな時は、自分が何のために話しているのかを思い出してみませんか。相手と何かをわかち合いたい、そして喜んでほしい気持ちがきっとあるはずです。その思いやる心を表現するための話し方は、本書の内容をおさらいしてみてください。

④「否定されたらどうしよう」という不安に負けない

よく「会話はキャッチボールだ」と言いますが、投げたボールをどう扱うかは相手次第です。跳《は》ね返されたり無視されたりして、傷つくこともあるでしょう。投げたボールを受け取ってもらえるだろうか。

この不安は、どんな会話にもついてくるものです。

たとえば、「そんなことも知らないのか」「自分で考えろ」と言われるのが恐くて質問できないことがあります。本当のことを言うと、相手を怒らせてしまうかもしれない、と言葉を飲み込んでしまうこともあるでしょう。嫌われること、否定されること、非難されることを恐れて、私たちは思っていることを心にしまいがちです。時間が経つほど溝が大きくなってしまうことを知りながら……。

どんな恐れも超えるためには勇気が必要です。勇気とは、恐れないことではありません。恐れを感じながらも一歩を踏み出すことです。過去の失敗やつらい経験などのトラウマがあれば、恐いのは当然です。**恐くてもいいのです。そのうえで、勇気を出して、恐れの中へ飛び込めば、記憶が上書きされます。**

恐れは、自分を守ろうとする防衛反応として起こるものです。ということは、恐れていたことをやっても「大丈夫だった」という体験をすると、守る必要がなくなります。その時恐れは自ら消えていくでしょう。

子どもの頃にいじめられた経験のある男性は、数十年が過ぎても気持ちを伝えるのが苦手でした。あの時のように、また自分を否定されたらどうしようと恐れたからです。でもある時、勇気を出して正直な気持ちを伝えるスピーチを行なうと、「あれ？　大丈夫だぞ。恐れていたようなことは、何も起こらなかった」と気がつき、心を開いて話せるようになりました。

◆トラウマの解消法

恐れに飛び込めば恐れが終わる、それは人間関係に限ったことではありません。ウエイン・W・ダイアー氏の『今だからわかること』(ナチュラルスピリット)には、お兄さんの水恐怖症を克服するのを手伝ったエピソードが紹介されています。子どもの頃に溺死《できし》しかけたお兄さんは、水の中に入ったり、水に近づいたりすると、じんましんが出ていたそうです。

それから二十七年が過ぎたある日、弟のダイアー氏に促《うなが》されて一緒にプールに入ると、じんましん以外のことならなんでもいいから、それに集中するようにと言われます。そうして水の中にいる間、ずっと弟から話しかけられたお兄さんは、話を聞くことで頭の中がいっぱいになりました。しかも小声で話しかけられるので聞き取ることに一所懸命で、他のことを考える余裕がありません。

結果的に三十分ほどのあいだ、水の中にいてもじんましんが出ないという体験をしたお兄さんは、「大丈夫だ」と思えるようになり、それ以降、泳ぐことを楽しめるようになったそうです。

自己紹介が苦手、自分の意見を言うのが恐い、大勢の前で話すと固まってしまうなど、人それぞれ「話すこと」への恐れがあるでしょう。その根底には、過去のトラウマが潜《ひそ》んでいる可能性があります。でも勇気を持って、苦手な状況に飛び込んでいけば、恐れは克服できるでしょう。

◆「思います」の使いすぎをやめる

恐れを放置すると、話し方のいろいろなところに影響が出ます。

たとえば、投げたボールを自分で受け取りに行ってしまうことがあるでしょう。

好きな人に告白していて、

「あの、僕と、お付き合いしてほしいんですけど……ってあの、ダメ……ですよね。……無理だよな。うん。僕なんか無理に決まってる」

と、相手は何も言っていないのに、自分で無理だと答えてしまう。相手の答えを聞くのが怖いから、自分で答えを決めてしまうのです。


また語尾にも影響がでます。

あるお坊さんが、こう言われました。

「みなさん。もうすぐお盆がやってくると思います」

お盆は自分が思おうと思うまいとやってきますから、「もうすぐお盆がやってきます」と言い切るのが自然ですが、責任を取りたくない気持ちや、嫌われることへの恐れがあると語尾を曖昧《あいまい》にしたくなるのです。

ものをはっきり言いすぎないことは、日本人らしい心遣いでもありますが、**「思います」を多用すると話がぼやけてしまう**でしょう。

⑤何気ないところに表われる本心に注意

言葉に表われるのは、恐れだけではありません。

かつて、番組のディレクターさんに「うんうん、という相づちは馴《な》れ馴れしく聞こえるからやめたほうがいい」と言われました。「もっと言うと、ゲストが男性の場合は媚《こ》びを売っているように聞こえる」と指摘されたのです。当時は素直に受け入れることができませんでしたが、まったくその通りでした。

加えて、その相づちはプライドの表われでもありました。ゲストの方の話を「うん、うん」と聞きながら、「本当は知っているのよ」とアピールしたかったのです。**「言葉は人を表わす」**というのは、まさにその通りですね。

舞台に立つ友人から、こんなメールが届きました。

「おかげさまでほぼ席が埋まってきました」

来てくださる方への感謝があれば、主催者目線の「席が埋まってきました」ではなく、お客さん目線の言葉、「たくさんの方にお越しいただけることになりました」などになったでしょう。

ある講演会では、質疑応答の時間が残り少なくなると、「あと二つだけ質問をお受けします」と言われました。参加してくださる人に心が向いていたら、「二つ」ではなく「二人」という言葉になったかもしれません。

言葉は心の表われです。心の中で感じていることが、話す時に出てきます。

美容サロンの社長さんのスピーチ原稿を書いている時に、「もっと社長らしく、知的に聞こえる言葉を原稿に盛り込みたい」と相談されたことがあります。そのような原稿で話しても、使い慣れていない言葉は不自然に響くでしょう。そうして相手に伝わるのは、「社長らしくて知的だと思われたい」という心のほうです。

大切なのは心のあり方です。人間は弱いものですから、すぐに慢心《まんしん》や驕《おご》りが出てきます。自分をよく見せようとすれば、その心が伝わります。

心を磨くことが、話し方を磨くことなのです。

おわりに――「思いやり」を言葉にのせて

このたびは、こうして拙著《せっちょ》を通じてご縁をいただけましたことに、心より感謝申し上げます。

この本は、今から十一年前に上梓《じょうし》した『「ひらがな」で話す技術』を文庫化したものです。長きにわたって読み継いでくださった読者のみなさまのおかげで、このように生まれ変わる機会をいただくことができました。誠にありがとうございます。

文庫化にあたっては、大切な人とわかり合うことを諦めないでほしいという願いを込めて書き直しました。

人間には、自分をわかってほしいという根源的な欲求がありますが、それはなかなか満たされることがありません。多くの人が、誰かと一緒に居ながら孤独を感じています。

あるご夫婦は今、離婚の危機を迎えています。大家族で育った妻は、夫に仕事よりも家族との時間を優先してほしいのですが、子どもの頃、貧しさに苦しんだ夫は、仕事を減らすことができません。家族には同じ思いをさせたくないからです。

こういったすれ違いは、今この瞬間も世界中で起こっているでしょう。お互いが自分の正しさを主張しながら、ぶつかり合ってしまうのです。

でも、そんな衝突も、小さな思いやりがあれば乗り越えていけると私は思っています。生徒さんからも、家族や仲間など大切な人たちとのつながりを取り戻せたという声がたくさん寄せられています。

私たちがわかり合うためにできることは、いろいろあります。お互いを責めるのではなく、思いやりの心で聞くこと。まわりにどう思われるかを気にして、自分に嘘をつかないこと。ありのままの自分を、ありのままの相手を、許して受け入れること。

この本には、そういった関係改善のためにできることの中から、もっとも基本的なこと、わかりやすい話し方について書きました。

相手にわかるように話そうとする気持ちは、思いやりそのものです。自分とは異なる環境で育ち、異なる価値観を持つ相手の方に、自分の話はどう聞こえているだろうと想像する。その方にとって聞きやすい声、理解しやすい言葉、受け取りやすい間合いで話そうと心を尽くす。

わかりやすい話し方の根底には、いつだって相手に寄り添う心が流れています。

みなさまの中にある「相手を思う心」を表現するために、この本をお役立ていただければ幸いです。

西任暁子

【参考文献】

『日本語教室』井上ひさし（新潮社）／『耳で考える』養老孟司　久石譲（角川書店）／『チャーチルの強運に学ぶ』ジェームズ・ヒュームズ〈著〉渡部昇一　下谷和幸〈訳〉（PHP研究所）／『音と聴覚』S・S・スティーブンズ　フレッド・ワルショフスキー〈著〉結城錦一〈日本語版監修〉（タイムライフブックス）／『悪童日記』アゴタ・クリストフ〈著〉堀茂樹〈訳〉（早川書房）／『スティーブ・ジョブズ驚異のプレゼン』カーマイン・ガロ〈著〉井口耕二〈訳〉（日経BP）／『おじぎ呼吸ダイエット』安ますみ（朝日新聞出版）／"Freeing the Natural Voice" Kristin Linklater（Drama Publishers）／『ワンダー』R・J・パラシオ〈著〉中井はるの〈訳〉（ほるぷ出版）／『今だからわかること』ウエイン・W・ダイアー〈著〉采尾英理〈訳〉（ナチュラルスピリット）／『なぜ自分を知らせるのを恐れるのか？』ジョン・パウエル〈著〉加藤久子〈訳〉（女子パウロ会）

本書は、サンマーク出版より刊行された『「ひらがな」で話す技術』を、
文庫収録にあたり加筆・改筆・再編集のうえ、改題したものです。

誰《だれ》が聞《き》いてもわかりやすい話《はな》し方《かた》

著者　西任暁子（にしと・あきこ）
発行者　押鐘太陽
発行所　株式会社三笠書房
〒102-0072 東京都千代田区飯田橋3-3-1
電話　03-5226-5734（営業部）03-5226-5731（編集部）
https://www.mikasashobo.co.jp
印刷　誠宏印刷
製本　ナショナル製本

 ISBN978-4-8379-3042-6 C0130

王様文庫

王様文庫

いちいち気にしない心が手に入る本
内藤誼人

対人心理学のスペシャリストが教える「何があっても受け流せる」心理学。◎「マイナスの感情」をはびこらせない　◎〝胸を張る〟だけで、こんなに変わる　◎「自分だって捨てたもんじゃない」と思うコツ……etc.「心を変える」方法をマスターできる本！

ふしぎなくらい心の居心地がよくなる本
水島広子

最近、自分に何をしてあげていますか？　いいことは「求めすぎない」「受け容れる」ときに起こり始めます。◎ヨガでも料理でも「今」に集中する時間を持つ　◎「勝った」「負けた」で考えない　◎誰かの話をただ聴いてあげる……いつもの日常をもっと居心地よく！

めんどくさい女子関係からイチ抜けする本
DJあおい

自分を取り巻くめんどくさい女子たちから、ムダに振り回されずにつき合うには——◎ほんの少し「相手の話を聞く」ことから　◎「ちゃんと見放してあげる」という優しさ　◎人の「腹の中」まで探らなくてもいい……そうか、この手があったんだ！　超人気ブロガーのスーパーアドバイス。

K30619

王様文庫

神さまと前祝い

キャメレオン竹田

運気が爆上がりするアメイジングな方法とは？　「よい結果になる」と確信して先に祝うだけで願いは次々叶う！　☆前祝いは、六十八秒以上　☆ストレスと無縁になる「前祝い味噌汁」……「特製・キラキラ王冠」シール＆おすすめ「パワースポット」つき！

龍神のすごい浄化術

SHINGO

龍神と仲良くなると、運気は爆上がり！　お金、仕事、人間関係……全部うまくいく龍神の浄化術を大公開。◎目が覚めたらすぐ、布団の中で龍にお願い！　◎考えすぎたときは、ドラゴンダンス！　◎龍の置物や絵に手を合わせて感謝する……☆最強浄化パワー、龍のお守りカード付き！

数字のパワーで「いいこと」がたくさん起こる！

シウマ

テレビで話題の琉球風水志シウマが教える、スマホ、キャッシュカードなど身の回りにある番号を変えて大開運する方法！　◎あの人がいつもツイてるのは「15」のおかげ？　◎初対面でうまくいくには「17」の力を借りて……☆不思議なほど運がよくなる「球数」カードつき！

K30620